OP DE RUG GEZIEN

MARGRIET DE MOOR

OP DE RUG GEZIEN

1991   *Uitgeverij* Contact   Amsterdam

Van Margriet de Moor verscheen
ook bij uitgeverij Contact:
Dubbelportret

Eerste druk april 1988
Vierde druk maart 1991

© 1988 Margriet de Moor
Omslagontwerp Pieter van Delft,
ADM International bv, Amsterdam
Omslagillustratie tekening van Rafaël: 'Vrouwelijk naakt
op de rug gezien' Teylers museum, Haarlem
Auteursfoto Gerhard Jaeger
Typografie Wim ten Brinke bNO

CIP-GEGEVENS KONINKLIJKE BIBLIOTHEEK, DEN HAAG

Moor, Margriet de

Op de rug gezien / Margriet de Moor. - Amsterdam : Contact
1e dr.: 1988
ISBN 90-254-6916-7
NUGI 300
Trefw.: verhalen ; oorspronkelijk.

INHOUD

VARIATIONS PATHÉTIQUES

Direct toen hij binnenkwam, liet hij weten: 'Mijn vader heeft niet gestudeerd.'

'O?' zei Marja op zeer verbaasde toon.

Regelrecht liep hij op haar af. Sommige kinderen keken naar de schilderijen en de meubels, die wilden weten in wat voor wereld ze zich bevonden, maar Edo was anders.

Hij legde zijn boeken op de hoek van de piano en ging zitten. Marja leunde voorover en knipte de lamp boven de lessenaar aan, in november is het soms al om vier uur donker. Het gezicht van de jongen was op slag heel bleek, de mouw van haar jurk vlammend rood.

Hij wierp haar een snelle blik toe. Natuurlijk zag hij dat ze verbaasd was.

'Begin maar,' zei ze.

Ze wilde zijn woorden voorkomen.

Hij trok zijn wenkbrauwen samen en zette zijn vingers neer. Stevig al, voor een jongen van elf.

Altijd was er eerst de techniek. De meeste van haar kinderen hadden er plezier in. Er waren geen boeken, geen noten, geen gedachten voor nodig. Die kleine handen waren uiterst zelfvoldaan. Ze ratelden in tertsenpassages het hele toetsenbord af, ze wriemelden aan eindeloze chromatische lijnen, gebroken akkoorden konden hun niet lang genoeg zijn. Hun polsen draaiden met het grootste gemak mee als ze de duim onderdoor moesten zetten.

Edo was nog maar kort op les. Een halfjaar geleden werd hij bij haar afgeleverd door een vrouw met blinkende sieraden. Niet zijn moeder. Terwijl de jongen meteen doorliep naar de piano had de vrouw haar even 'apart genomen'. Wat haatte ze dat, de vertrouwelijke inlichtingen die je bij dergelijke gelegenheden worden toegefluisterd. Wat u moet weten is het volgende. Het is een moeilijk kind. 's Nachts heeft hij angstdromen, maar overdag op school is hij hopeloos agressief. Zijn leraren kunnen hem nauwelijks aan, hij heeft een slechte invloed op zijn klasgenoten. Verbazingwekkend is het niet, als u weet dat hij door zijn vader alleen wordt opgevoed, een onevenwichtige lompe kerel die bovendien vaak weg is. Laat u maar niet merken dat ik u dit heb verteld. Hoepel op mens, had ze gedacht. Wat dit kind over zijn leven kwijt wil, zal nog wel blijken.

Ze schrok op. Hij keek haar aan, wachtend op haar instemming.

'Heel goed gedaan, Edo,' zei ze. 'Nu nog de kwinten.'

Hij ging weer aan de slag. Ze zakte terug in haar stoel. Volkomen tegen haar gewoonte in luisterde ze niet. Haar verbazing was overgegaan in ongerustheid. Wat was er aan de hand?

Tot nu toe had zijn vader alles gestudeerd. Marja was gewend veel op te geven, vooral als een kind zo begaafd was als Edo. Om het de vader te vergemakkelijken had ze extra vingerzettingen toegevoegd en aanwijzingen gegeven voor kort of gebonden spel. Met potlood had ze haar muzikale suggesties tussen de notenbalken neergeschreven. Ze had prachtige stukken uitgezocht.

Haar lespraktijk werd beroemd, al wist ze daar zelf niets van. Ze stelde eenvoudig vast dat er bijzonder veel piano werd gespeeld in dit voormalige vissersdorp.

Vijf jaar geleden was ze hier gekomen, deze eenzaamheid, deze saaiheid had ze voorzien. Ze hield niet van de badplaats, waar een uitgebeten licht in de straten hing, ze hield niet van haar huis dat samen met een paar andere boven aan een stenen trap tegenover de watertoren stond – in de tuinen wezen de brem en de duinroos één kant op, landinwaarts, de ramen waren mat, zout en vocht, knijp altijd je ogen een beetje dicht als je boven bent, in de wind zit zand – maar om de een of andere reden leek dit alles precies te passen bij de beslissing die ze genomen had. Dat het afgelopen moest zijn met de liefde en het verschrikkelijke geluk.

Nu, terwijl haar ogen de bewegingen van de jongen aan de piano volgden en haar handen in haar schoot zwakjes meeklauwden, leek het alsof er iets in haar was afgestompt: ze herinnerde zich nog wel dat er sprake was geweest van een obsessie, van een hartbrekende behoefte aan vrijheid, maar de werkelijke reden was ze kwijt. Het warme levende gevoel.

Die hele zomer en die hele oktobermaand waren trouwens erg vaag geworden. Ze had het twee keer moeten zeggen, geen van beiden kon het begrijpen, de echtgenoot niet en de minnaar niet. En het was waarschijnlijk ook belachelijk. Niet normaal. Met beide mannen had ze een verstandhouding gehad, een eensgezindheid over enkele dingen en afspraken voor de overige. Er hadden gesprekken plaatsgevonden, aan het ontbijt, en 's nachts, onder de warme dekens. Over het werk, de gezondheid, een enkele keer over het verlangen en de eenzaamheid.

Ze raakte zijn schouders en ellebogen aan.

'Deze scharnieren moeten altijd los zijn. Je beweging, je spanning, alles wat je bent, moet erdoorheen kunnen. Op weg naar een andere, veel belangrijker plek.'

Edo knikte en begon aan de toonladder van Des.

'Wat zeg je?'

Een oktoberavond in de stad waar ze haar leven lang gewoond had. Rotterdam. Haar man die naast haar loopt. De eerste vrieslucht. Omdat ze haar besluit al een tijdje geleden genomen had, heeft ze het plompverloren gezegd. Door de ruit van een snackbar valt bleek schijnsel op zijn gezicht, de zachte vriendelijke mond is ineens onbekend, nijdig vertrokken. 'Ik wil alleen zijn.' Ook de minnaar reageerde eerst furieus, daarna verdrietig en ten slotte bang. Er was iets mislukt. Wat had zijn lichaam verkeerd gedaan?

'De Petite Suite,' antwoordde Edo op haar vraag wat ze nu gingen spelen. Hij zette de muziek van Debussy op de lessenaar en schoof zijn stoel zover op dat de hare ernaast kon.

Sinds de zomer wilde hij alleen nog maar muziek voor quatre-mains spelen. Dus had ze hem Caplet gegeven, Strawinsky, Reger. Muziek genoeg, het maakte haar niet uit. Haar kinderen mochten spelen wat ze wilden.

Ze komen graag bij haar. De moeders die om twaalf uur bij het hek van de school staan te wachten, benijdt ze niet. Ze loopt langs het plein en beziet het getrek en geduw. Het gepest. Het afschuwelijke geschreeuw. In donkerblauwe gewatteerde jacks wachten de moeders op hun kinderen. Dezelfde kinderen die 's middags bij haar op les komen.

Ze waren getalenteerd, haar kinderen, en allemaal hadden ze wel wat. Marja keek daar niet van op. Er was een meisje, Judith, dat iedere les huilde. Drie jaar lang huilde ze op maandagmiddag. Als Marja haar aankeek en bevreemd informeerde wat er toch was, werd ze woedend. Met rode knuisten wreef ze het snot van haar gezicht. Toen ze bij haar wegging – Wat ga je doen, nu na je examen? Naar Engeland, au pair. Waarom? Schouderophalen. Het lijkt me wel leuk – kon ze het Klavierstück opus 33a van Schönberg spelen, uit haar hoofd. Er was een jongen, Nick, die maandenlang alleen op de zwarte toetsen wilde spelen. Zonder ooit een woord te zeggen beukte hij erop los. Nu speelde hij Noveletten van Schumann, hij had het zachtste, innigste toucher dat Marja ooit gehoord had. Zwijgzaam was hij nog steeds.

Edo en zijn lerares speelden. Ze telden zachtjes en vlak voor ze inzetten, knikten ze met hun hoofd, ze wiegden mee met het andantino in zesachtste maat. Marja met haar ribfluwelen heupen, Edo met zijn magere, in een rode trui gehulde schouders. Soms vergiste hij zich en speelde hij een octaaf te laag. Hun vingers raakten verstrikt. Vliegensvlug pakte Marja dan zijn hand en verzette deze, hoger op de piano, zonder het spel te onderbreken. In het glanzende zwart van de klep speelden vier andere handen, heel wat soepeler en behendiger, met hen mee.

'Jij komt zeker uit een muzikale familie?' had Marja hem in het begin gevraagd.

Zijn ijver verraste haar. Als ze hem een paar stukjes opgaf om thuis te studeren, had hij de week daarop niet alleen het hele boek uitgespeeld, maar kwam hij ook met allerlei andere muziek op de proppen – een prelude van Bach, een Mozartsonate –, meestal veel te moeilijk.

'Mijn vader speelt iedere avond.'

Toen had ze hem voor het eerst een stuk voor vier handen mee naar huis gegeven. Caplet, *Un tas de petites choses*. De linkerpartij is tamelijk pittig.

Daarna begon het.

Zijn vader vond het moeilijk en verzocht via Edo om enkele aanwijzingen. Hoe te fraseren. En was deze vingerzetting niet buitengewoon onhandig. Zijn vader vond vooral het tweede stuk prachtig, maar stelde een ander tempo voor en vooral,

vooral geen vertraging bij het einde. Wat zou ze ervan denken als ze nu Schubert of Fauré gingen studeren.

Langzamerhand begon het tot Marja door te dringen dat deze mededelingen trefwoorden waren voor iets anders. Voor het leven van deze man. In het begin verzette ze zich tegen deze intimiteiten. Zeer ongewenst. Maar geleidelijk, sluipend, begon hij een gestalte aan te nemen, begon hij danig aanwezig te zijn met al zijn hebbelijkheden. Ze begreep dat hij net als zij in een afgesloten ruimte van zijn leven leefde, dat hij 's avonds na zijn werk een bruine badjas aantrok, brommend en in zichzelf mompelend eten kookte en daarna pianospeelde. 's Nachts snurkte hij. 'Keihard,' zei Edo.

'Prachtige, prachtige muziek,' zei ze, zachtjes knikkend.

Ze nam haar leesbril af en wreef over haar ogen die plotseling weer heel verbaasd stonden. Peinzend, eigenlijk buiten zichzelf om voegde ze eraan toe: 'Maar je kunt horen dat je deze week niet hebt samengespeeld.'

Nu had ze de pest in. Nu had ze hem de gelegenheid geboden zijn informatie op haar los te laten. Afgezien van de ongepastheid. Afgezien van haar verterende aandacht. Het viel haar op dat hij een beetje ademloos begon te praten. Waarom keek hij haar zo dringend aan? Ze zou niet moeten luisteren. Ze luisterde aandachtig.

De man had overgewerkt. In een vernederende stofjas, zijn voeten tussen peuken en metaalsplinters, had hij zijn aandacht verdeeld tussen de machines en de vermoeide, maar onontbeerlijke grappen van zijn medewerkers; hij had zijn brood gegeten, zwarte koffie gedronken, gerookt, en was aan het eind van de nacht naar het slapende dorp teruggereden. Ze zag de slechtverlichte provinciale wegen en de onberekenbare tegenliggers die telkens uit de mistsluiers opdoken. Een paar handen op het stuur, stevig, zwartbehaard, kon ze zonder moeite aan de man toeschrijven. Maar wat ze al vaker gemerkt had: hij bleef bedroevend gezichtloos. Ook het geluid van zijn stem liet zich niet oproepen.

Beschaamd en geërgerd wilde ze het gebabbel van de jongen onderbreken. Ze gebaarde vaag.

'Ja ja, stil nu maar.'

Het klonk halfslachtig. Ze was weerloos tegen dit kind.

'Kom.' Ze reikte naar het boek en sloeg een bladzijde om. 'Begin deze week maar aan het tweede deel. Maar pas op, nog niet te vlug. Het is moeilijk.'

Gewoontegetrouw speurden haar ogen de tweede partij af. Hier en daar veranderde ze iets aan de vingerzetting, zodat het handiger zou zijn voor de vader. Enkele passages probeerde ze even uit, vurig, overactief, de handen hoog optillend bij de rusten. Hoe zou hij het spelen, vroeg ze zich af.

Het boek dichtslaand en aan Edo overhandigend – doe je best – kon ze niet verklaren waarom ze daarbij een medeplichtige blik wisselden. Deelgenoten van een geheim. Snel keek ze van hem weg. De kamer was veel te donker, onmenselijk, achter de ramen hing de novemberschemering. Eigenaardig van streek stond ze op en knipte alle lampen aan. Ogenblikkelijk werd vanachter de ruiten het schijnsel teruggekaatst, dof gloeiend, als vuur uit de onderwereld.

'Vooruit,' zei ze op opgewekte toon, 'laten we voor je weggaat nog even een Brahms doorspelen.'

Edo keek enthousiast naar haar om. Triomfantelijk ook. Ze was er absoluut zeker van: dit kind manipuleerde haar met opzet.

Marja loopt over het strand. Het is eb, de zee is ver weg. Die hele dag is het schemerig gebleven. November. Haar netvlies vangt een beeld zonder contouren op, een landschap dat bestaat uit een oneindige hoeveelheid dansende stipjes. Oude zwartwitopname met veel ruis. Ook het geluid is armzalig. Het komt vervormd, in vlagen over.

Zo nu en dan passeren haar donkere gedaanten, stevig doorstappend in de wind. Vluchtige blikken van verstandhouding worden haar toegeworpen. Vermeende eensgezinde genietingen. Zijn deze mensen soms naar iets anders op weg dan naar de vertrouwdheid van hun gepolitoerde eikehouten voordeuren?

Marja houdt niet van de zee. Ze schrikt als haar schoenen in aanraking komen met de aangespoelde olijfgroene knobbels, of de geheimzinnig dode of levende slijmerige dieren. De verlichting op de boulevard boezemt haar afkeer in. Lopend over de vlakte staart Marja naar de stad. De afgeschermde vesting vol warmte, vol aangename anonieme voorzieningen.

Een paar keer per maand rijdt ze naar Rotterdam. Ze heeft goede regelingen getroffen. Want natuurlijk had ze snel door dat haar lichaam nog te jong was. Haar gladde huid, 's nachts. Heel bruikbaar nog. De gevoelens van een oude studievriend bleken wonderwel intact. Alsof de jaren wegvallen, had hij het genoemd. Deze bedeesde man, van wie geen verwikkelingen te duchten zijn en met wie ze algauw een prachtige voettocht in de Ardennen zou maken, geeft Marja voldoende reden om zo nu en dan haar ondergoed te inspecteren en een geparfumeerd bad te nemen. Haar kaptafel is in orde: schaartjes, pincetten, flacons. Ze heeft uitgemaakt dat deze man de laatste zal zijn. In haar gedachten heet hij: de hekkesluiter.

Op het duinpad viel de wind weg. Ze had het ineens warm. Op de bank aan de boulevard zat, als een betoverde kraai, een van de oude afgedankte mannetjes van het dorp. 'Hoi!' kwam er keihard uit toen ze langsliep. Ze trok de kraag van haar jas open.

'Hoe laat moet je naar bed?'

Over haar brilleglazen, de radiogids opengevouwen op haar schoot, keek ze hem aan. Ze was toe aan het karweitje dat ze meestal tot de laatste minuten van de les bewaarde.

'Kwart over acht,' zei hij. In zijn stem klonk lichte wrok.

Zijn schouders een beetje opgetrokken, met dat beleefde ongeduld van hem – hij zou er veel liever *Mi-a-ou* nog eens in hoog tempo doorrammelen – wachtte Edo tot haar zoekende potlood iets zou aanwijzen.

'Dit,' zei ze. 'Goed. Wat zou je hiervan zeggen: de Symfonische Dansen van Rachmaninov, morgenavond op Duitsland. Het duurt tot vijf voor half negen. Tien minuutjes langer, zou dat mogen?'

Ze gaf hem de gids en hij begon het programma in zijn huiswerkschrift te noteren. Hij schreef verbazingwekkend onhandig, zijn gezicht samengeknepen, dicht op het papier.

'Vertel mij de volgende keer wat je ervan vond,' droeg ze hem op.

Verstrooid keek ze toe hoe hij zich midden in de kamer in een stijve gele regenjas hees, het touwtje van de capuchon zo strak aantrekkend dat zijn gezicht klein en rond werd. Zijn armen wijduit verdween hij in de regen.

Marja hield ervan dit soort huiswerk op te geven. Al heel gauw konden haar kinderen het verschil tussen Bach, Beethoven en Debussy horen. Het was zo gemakkelijk. Zoals ze konijnen nooit zouden aanzien voor vossen, zo zouden ze ook de Vier Jaargetijden nooit verwarren met een Brandenburgs Concert. Of een strijkkwartet van Haydn met een vroege Beethoven. Ze hadden sterke voorkeuren. De meesten hoorden de Haffnersymfonie het liefst door het Orkest van de Achttiende eeuw, Harnoncourt kon ook, maar een van haar kleintjes – een uit Sri Lanka geadopteerd meisje – hield het bij een oude opname van de Berliner Philharmoniker. Al haar kinderen konden horen of de Kreisleriana werd gespeeld door Horowitz of door Richter. Marja vond het wel een aardig idee dat hoewel de meesten op den duur zouden stoppen met hun pianostudie – te druk met het echte leven –, deze rangschikkingen van klanken hen toch als een schaduw zouden blijven vergezellen. Ze zouden er nooit meer los van komen.

'En?' vroeg ze, opkijkend.

Met moeite had ze het steile handschrift ontcijferd. De Symfonische Dansen.

De zon scheen deze middag ver de kamer in. Lage oranje herfstzon. Marja moest haar ogen een beetje dichtknijpen.

'Mijn vader vond het mooi,' zei Edo.

'Je vader!' riep ze uit, bijna smartelijk.

De jongen scheen haar verwarring niet op te merken. Zonder met zijn ogen te knipperen zei hij: 'Hij vraagt of u vanavond ook luistert naar Ravel.'

Haar ogen vernauwden zich.

'Ravel,' herhaalde ze. En toen: 'Welk stuk?'

'De Valses…' begon hij. 'De Valses nobles…'

'De Valses nobles et sentimentales,' stelde ze vast, kort knikkend met haar hoofd, alsof ze het wel gedacht had.

'Hoe laat?'

'Om tien uur. Op Hilversum vier.'

De zon scheen haar nu pal in de ogen. Een koperen kan die op de piano stond, weerkaatste het licht en wierp haar uit onverwachte hoek een tweede, nog fellere lichtbundel toe. Verblind tastte Marja naar haar potlood dat op de grond gevallen was. Tijd en plaats, dacht ze. Er is een ontmoeting gearrangeerd. Iemand verwacht dat ik me daar niet aan zal onttrekken.

Er klonken een paar pianotonen. Een akkoord werd terloops uitgeprobeerd. Edo vond dat de stilte lang genoeg geduurd had. Maar Marja's gedachten werden in beslag genomen. Het werd tijd te weten hoe deze man eruitzag. Ze wilde zijn gezicht zien.

Moeizaam zuchtend (alsof haar lichaam oud en zwaar was) stond ze op en liep om de piano heen. Een beetje nieuwsgierig volgde Edo haar met zijn ogen.

Nu viel het zonlicht op hem. Openlijk bekeek ze de kinderlijke gelaatstrekken. Was het mogelijk om uit die puntige neus, enigszins rood van het snuiten, en uit die aandoenlijk ronde wangen een ander, ouder gezicht op te roepen?

'Lijkt hij op jou?' vroeg ze onomwonden.

Edo knikte enthousiast. Onschuldig.

'Ja. Iedereen zegt het.'

Toen hij weg was, liep ze naar boven. De ramen van de slaapkamer stonden open en het vertrek was verzadigd met vochtige zilte lucht. Met haar buik tegen de wastafel leunend, bekeek ze zich in de spiegel. De vermoeide waanzinnige blik van vroeger. Haar gezicht. En hoe het door anderen gezien zou kunnen worden. Wat, in godsnaam, zou Edo over haar verteld hebben?

In een opwelling nam ze de telefoon en belde de man in de stad, de hekkesluiter. Morgenavond zou ze in Rotterdam zijn, zei ze, ze had er behoefte aan hem te zien. De man reageerde verheugd, maar vatte de lichte hysterie in haar stem verkeerd op. Hij stelde voor dat ze onmiddellijk kwam.

'Nee,' zei Marja, haar dwalende ogen op het raam vestigend. 'Vanavond niet. Er komt zeevlam opzetten.'

Vanaf dat moment was er iets veranderd. Marja begreep niet waarom, maar ze begon genoegen te scheppen in de verhouding waarin ze betrokken was geraakt. En zeven dagen waren veel te lang. Dan kon het gebeuren dat ze 's nachts in bed – verzonken in herinneringen en dromen, cirkelend rond een man die ze nog nooit had gezien maar die na een onmerkbaar procédé toch al grotendeels bestond uit haar lotgevallen, uit wat vaststond, wat plechtig besloten en ondertekend was, uit de verstrooide vrouw Marja – ineens tot zichzelf kwam, de waarschijnlijkheid vermoedend dat ze geschift was, krankzinnig eigenlijk – hoe noodzakelijk was het om haar voeten weer eens even op de grond te kunnen zetten – en dus achtte zij het raadzaam om dit getalenteerde kind zo nu en dan een les tussendoor te geven.

Want ze waren begonnen elkaar te schrijven. De onzichtbare man had er een krachtig lijfelijk aspect bij gekregen: zijn onbeholpen handschrift.

'…wil ik u aanraden zondag j.l. (doorgestreept) a.s. rechtstreeks naar Strawinsky te luisteren,' ontraadselde Marja met veel moeite in Edo's huiswerkschrift.

'Kom woensdag om kwart over twee maar,' zei ze de week daarop tegen hem. 'Dan heb ik nog een uurtje voor je.' En ze noteerde in zijn schrift: 'Inderdaad prachtig. Maar toevallig is vanavond ditzelfde stuk op de BRT, een historische opname, door hemzelf gedirigeerd. Ik ben benieuwd wat u ervan vindt.'

Ze begonnen elkaar te tutoyeren. Hun toon werd een stuk vertrouwelijker.

'Ben ik met je eens,' schreef de man. 'Zelfs door het gerochel van een snipverkouden zaal was het te horen. Subliem. Tja, twee werelden die elkaar trotseren!'

En Marja, rood tot in de nek en een beetje snuivend, schoof haar stoel naast die van Edo en zette haar vingertoppen op de witte toetsen.

Soms waren hun ontboezemingen heel summier. Niet meer dan codes. Maar op precies dezelfde manier als de geheimzinnige kranteberichten in de rubriek 'Oproepen' alleen te ontcijferen waren door ingewijden ('U heeft het voordeel van de twijfel, ik niet meer. De Derde Dame'), zo, dacht Marja, begrepen ook de man en zij elkaar volmaakt.

'Italiaanse stijl,' beweerde hij bijvoorbeeld. 'Vals. Onjuist.'

Waarop Marja kort, maar haar ronde handschrift hartstochtelijk uitgedijd, repliceerde:

'Lulu! BBC! Donderdag!'

Op een keer verscheen Edo niet op les. Gedurende een kwartier zat Marja met onmachtige handen – er was altijd zoveel te doen – naast de piano. Toen ging ze op speurtocht: dit kon niet kloppen, dit was onmogelijk.

In de gure wind stond ze boven aan de stenen trap en tuurde

de diepte in. Het was nu ver in december en aardedonker aan het eind van de middag. Niets te zien behalve de zielige, heen en weer waaiende lichtjes in de spar voor de kerk, harteloos overstemd door het blauwe halogeen van een straatlantaarn.

Onverrichter zake teruglopend viel haar oog op de verblindend witte no-ironborst van de overbuurman die bezig was een kerstster achter zijn raam op te hangen; zijn vrouw stond er gespannen naast, in haar uitgestrekte hand waarschijnlijk een paar extra spijkers.

Bij de achterdeur voelde ze dat haar voet zachtjes wegglibberde. Bedorven lucht steeg op: die ochtend had ze de vuilniszak buiten gezet. Een dag te vroeg. Daarna greep de wind de deur en moest ze hard trekken om hem dicht te krijgen. Haar rok bolde dwaas om haar lichaam. Misschien vatte ze op dat moment kou.

's Avonds ging de telefoon. Een mannenstem maakte zich bekend: de vader van Edo.

Marja was volkomen overrompeld. Ze hield van telefoneren – het aan de tijd aangepaste blindemansspel – en belde openhartig en langdurig met allerlei vage kennissen en zelfs met mensen die ze nog nooit had ontmoet. Heel precies kon ze zich daarbij voorstellen hoe iemand stond te gebaren, hoe een gezicht vertrok, welke fantastische krabbels er verschenen op een gebruikte giro-envelop.

Dit telefoongesprek verliep echter stroef. Allereerst was er het sterk Amsterdamse accent dat haar, afkomstig van de Spaanse Polder, natuurlijk niet direct kon aanspreken. Verder was deze man verlegen, absoluut geen prater, en zoals zo vaak gebeurt: ook zij wist ineens geen woorden te vinden.

Er viel een verlammende stilte.

'Hij was vanmiddag niet op les,' zei ze ten slotte maar.

'Hij was ziek,' klonk het kortaf.

'Wat mankeert hem?'

Daar moest over nagedacht worden. Uiteindelijk werden haar enkele symptomen toegemompeld: verkouden, hoesten, hoofdpijn.

'Hij is uitzonderlijk getalenteerd,' zei ze.

Het was lachwekkend zo afgemeten als haar stem klonk. Zo helemaal niet als ze bedoelde.

Aan de andere kant werd aarzelend gelachen. Gevleid waarschijnlijk. Ouders denken altijd dat hun kinderen op hen lijken.

Daaropvolgend liet Marja de stilte verstrijken, rustig, in het tempo dat nodig was omdat ze begon te snappen dat dit een volautomatisch gesprek was, dat deze lange seconden op eigen kracht volliepen. Waarmee? Met het onuitsprekelijke leven. Met de futiliteiten die beiden afzonderlijk hadden gehoord of gezien – de gekookte eieren, de verregende kranten, de overgestroomde baden, de per ongeluk tweemaal betaalde rekeningen, de nieuwsberichten, de potjes yoghurt die te lang in de ijskast stonden, de dierlijke geur van gebruikte lakens – en die nu kalmpjes begonnen samen te vloeien.

Toen het haar lang genoeg geduurd had, zei ze: 'Het is fascinerend om hem les te geven,' en hing op.

Er restte haar een avond. Wat doet ze? Ze loopt op blote voeten, zwaar stappend, door haar kamer. Ze peinst met lichtgrijze ogen. Achter haar voorhoofd, daar waar het verstand zit, rustte een angstvallig verzegelde opgave. Hollend naar de spiegel, rood van schrik, begreep ze het ten slotte. Van de liefdesverklaring.

Ze had er niet op gerekend dat het spoedig daarop vakantie zou zijn. Ineens bleven haar kinderen weg. Mismoedig snotterend – ze was inmiddels zwaar verkouden – ordende ze de stapels muziek op de piano. Op haar knieën voor de kast bladerde ze de preludes van Skrjabin door, en legde ze weer weg. Het stof dat uit de broze bladzijden opsteeg, bezorgde haar een extra niesbui.

Het dorp zag er ziekelijk uit. Zowel de winkeletalages als de ramen van de woonhuizen waren wittig halfdicht gespoten, groene en rode versieringen verdoezelden de deuren, de hal van het postkantoor was nauwelijks toegankelijk vanwege een spar.

De bevolking had iets stils, iets stiekems. Dicht langs de huizen werd met proviand gesjouwd. Als Marja een van haar kinderen tegenkwam, werd ze verlegen – en soms helemaal niet – gegroet.

De beide kerstdagen bracht ze met de hekkesluiter door. Ze dineerden in een duur restaurant en ondanks de heerlijke Chablis bleef Marja zich broodnuchter voelen. Wetend dat ze haar vakantie altijd gebruikte om haar techniek op peil te houden, informeerde hij of ze lekker studeerde.

Ze draaide haar ogen weg van de dikke vissen in het aquarium. Zilverig nu nog, straks donkergoud.

'Heel lekker.'

Hopeloos was het, al die halve partijen. Muziek voor vier handen. Vier. Je kon natuurlijk de ontbrekende helft proberen mee te neuriën. Of fluiten. Je kon armzalige pogingen aanwenden om het oorspronkelijke werk compleet te krijgen.

Een hand streelde haar arm. Ze keek naar het ontspannen gezicht achter het kaarslicht – 'dan starten we bij de Seven Sisters en lopen tot Ditchling, dat is zes, zeg zeven dagen' – en legde haar vingertoppen op het witte linnen.

'Zal ik de tafel laten dansen?'

Want dat was natuurlijk heel wat eenvoudiger dan het oproepen van een nog levend fantoom.

De palmen. De kelners die de messen en vorken uitleggen. Ze naderen discreet. Postillons d'amour. Bij de in zwart of grijs flanel gestoken elleboog wordt de rekening neergelegd. Het bezorgen van de liefdesbrief. Marja droeg een satijnen japon, blauw, laag uitgesneden. De vrouwen herinneren zich vroeger tijden, de mannen denken vooruit. Straks.

Ze veegde het zweet uit haar hals, knikte ja graag en keek naar het inschenken van de wijn.

Ronduit tragisch was het volgende: ze speelden dezelfde partij.

Marja heeft koorts.

In de Hoofdstraat zag ze hen lopen, Edo en zijn vader.

Ze sloegen de hoek om bij de visboer – gesloten, het was zondag – en kuierden in haar richting. Edo had iets in zijn hand dat hij zijn vader wilde laten zien, de boomlange man moest een eind vooroverbuigen.

Marja had een paar dagen in bed gelegen, verward en ziek, vanmorgen was ze opgestaan en nu leek het alsof ze ineens scherper kon zien dan voorheen. Want zelfs van grote afstand onderscheidde ze het soort gezicht dat deed denken aan de vlakten van Mongolië, van Koerdistan, van Oost-Groningen misschien. Zeer brede jukbeenderen. De ogen onder vooruitspringende wenkbrauwen verborgen. Erg onbekend. Iets in de manier waarop hij een obstakel voor zijn voeten wegschopte, een leeg blikje of doosje, stond haar tegen.

Edo ontdekte haar en er was geen sprake meer van gehoor geven aan de impuls: als de bliksem de straat oversteken.

Voorzichtig lachend stonden ze tegenover elkaar.

Er moest natuurlijk wel iets gezegd worden. De vader begon over de lessen. Hij was erg tevreden. Marja bedankte hem.

Ze staarde hem aan – eenvoudig was het nooit geweest, met het stenen pijpje de wat klein uitgevallen bel weer te pakken te krijgen en hem verder op te vullen. Glanzender, groter. Waarmee? Met lucht. Met een stukje van het universum – toen een prikkeling in haar neus haar dwong haastig haar tasje te openen en daar de hele zaak overhoop te halen. Net op tijd vond ze haar zakdoek. Pardon. Met betraand gezicht, de zakdoek tegen haar mond, overviel haar een vreemdsoortige verveling, geeuwneigingen, zware oogleden, een totaal gebrek aan belangstelling voor het incident dat plaatsvond. Ze had zich bedacht. Wanneer viel niet meer na te gaan. Er was niets tussen hen. Ze waren vreemden die op zondag, gedwongen door een stille straat, een praatje maakten.

Ze snoot haar neus.

'Maar het zou toch wel heel goed zijn,' vervolgde de man die op zijn gemak was blijven wachten, 'als hij eens iets anders te studeren kreeg dan muziek voor vier handen.'

Haar ogen dwaalden opzij. Ook Edo leek niet langer geïnteresseerd. Met de overvoerde, maar ingesleten blik die kinderen in deze tijd van het jaar eigen is, tuurde hij een etalage vol triest, onopgeëist speelgoed in.

Ze knikte.

'Ja, daar ben ik het mee eens.'

'Hij is notabene de noten van de f-sleutel bijna vergeten.'

Marja kon de vader geruststellen.

'Ik heb al een nieuw stuk voor hem uitgezocht. Een Mozartsonate.'

Dat was alles. De tijd was om. Ze schudden handen en liepen door. Marja voelde haar schouders zakken. Iets in haar bloed zei haar dat ze de griep er nu definitief onder had.

In dit dorp komen alle wegen op zee uit. Je loopt tegen de

wind in, verdoofd, eenzaam, en ineens sta je op de boulevard. De scherpe bittere geur. De kleurloze glooiingen met de steelse toegang naar de ruimte. Diep in haar hart had Marja er een afkeer van. Met de woest kronkelende haarslierten voor haar gezicht betrad ze het plankier van het duinpad. Ze knoopte haar jas aan de hals dicht.

'Hoi!' klonk het hard achter haar.

HIJ BESTAAT

Aan Ronald en Maarten
van de Slee Buitensport
Kongo Mokele Mbembe-expeditie 1986

Dagenlang had ik zijn pleidooien met onverschillig commentaar begeleid. Vanavond stemde ik toe met hem mee te gaan. Peter kneep zijn ogen tevreden samen en begon een detailkaart van het gebied voor mij uit te spreiden. Hij schoof zijn stoel dichter naar het bureau en ging handenwrijvend weer zitten. Ik begreep dat hij geen moment aan zijn overredingskracht had getwijfeld.

Alsof ik geïnteresseerd was in dat dier!

'Wacht maar af,' zei hij. 'Ik schat dat de kans op succes zo'n zeventig à tachtig procent is.'

Zijn stem had de bescheiden klank van iemand die heel zeker is van zijn zaak.

'Je kunt je misschien wel voorstellen, Eduard,' was hij eergisteren op diezelfde toon tegen mij begonnen, 'dat de heersende theorieën over de evolutie van de afgelopen zestig miljoen jaar ingrijpend zouden moeten worden herzien wanneer' – hier had hij even gewacht, ook zijn adem had hij ingehouden – 'wanneer zou blijken dat er in de jungle van Afrika nog dinosauriërs leven.'

Peter is volgens mij briljant. Ik ken hem al jaren. Vanaf de avond waarop hij voor ons dispuut een in alle opzichten bespottelijk betoog hield – dat ik dan ook genadeloos de grond inboorde –, zijn we bevriend. Biologie is in zijn ogen het terrein van groots, onstuimig onderzoek. Het spreekt dus vanzelf dat hij regelmatig overhooplicht met de faculteit. Ook nu weer. De vakgroep heeft hem een promotieplaats aangeboden, gekoppeld aan een onzinnig vraagstuk.

Hij had een reconstructietekening van een prehistorisch reuzendier onder mijn neus geduwd. Ridicuul kleine kop. Lange nek. Gerimpelde uitstaande poten. Tijdens zijn uitweidingen had hij met een potloodje de contouren van de gewervelde staart gevolgd.

'...de kolossale sauropode, rondwaggelend op de bodem van ondiepe meren en rivieren. Zowel Smith als Jones veronderstelden dat deze dieren gebruik maakten van de opwaartse kracht van het water om zich op de achterpoten te verheffen, ja?' – hij keek even op, maar mijn redelijke vraag bleef uit – 'en zo de takken van de overhangende bomen af te grazen. Vaak moet het boven-water-uitsteken van de lange nek al voldoende zijn geweest om het voedsel, uitsluitend plantaardig, te bemachtigen.'

Deze avond verzekerde hij me dat het uitgestrekte moerassengebied vlak boven de evenaar in Centraal-Afrika sinds het Krijt geen klimaatsverandering van betekenis had gekend.

Achterovergeleund, balancerend op zijn stoel tussen het bureau en de wastafel – hij is er nooit toe gekomen uit het krappe kamertje te verhuizen – peilde hij de uitdrukking op mijn gezicht. Maar mijn blik was gevestigd op de foto, boven de spiegel, die ik hem vorig jaar cadeau had gedaan. Groeten van een vriend. Met triomfantelijk geheven hoofd sta ik op de top van de Langkofel (ijlte... schittering...), mijn neus en adamsappel zijn net zo sterk beschaduwd als de zo gevreesde noordelijke wand.

'...en als je bedenkt, Eduard, dat vanaf de zeventiende eeuw tot op heden talloze getuigen in die streek een dier hebben waargenomen dat geheel overeenkomt met de zogenaamd uitgestorven dinosauriër – ja? – dan...'

Ik geeuwde met mijn kaken op elkaar. Toch zal ik dit geouwehoer straks wel missen. Als ik op het aanbod van die firma inga, dan natuurlijk. Het is niet noodzakelijk om naar het buitenland te vertrekken. Voor informatici is overal plaats.

'Mokele mbembe,' zei Peter.

'Wat?' Ik keek hem niet-begrijpend aan.

'Mokele mbembe,' herhaalde hij. 'Zo wordt dat dier door de Pygmeeën genoemd.'

Toen begon hij over de twee Amerikaanse expedities die tevergeefs hadden geprobeerd het hart van het gebied, het Téllémeer waar het monster scheen thuis te horen, te bereiken.

Het moesten helse tochten zijn geweest.

Met mijn elleboog schoof ik een stapel papier op het bureau uit de weg en steunde mijn kin op mijn vuist. Zonder mijn ogen van hem af te wenden hield ik mijn theekop bij die hij al pratend volschonk. Ik luisterde naar bijzonderheden over de koortsmoerassen, het ondoordringbare oerwoud, de hitte en de uitdroging – en wat was het oerstom dat ik te laat was geweest met mijn aanmelding voor de beklimming van de Kilimanjaro –, en stemde daarna toe om in februari met Peter naar de Likoualamoerassen in de Volksrepubliek Kongo te gaan.

Eind januari hield ik op me te scheren. De tweede ochtend aan het ontbijt ontdekte mijn moeder de schaduw op mijn gezicht. Ze wierp een scherpe blik op me, maar zei nog niets. Gedurende een paar dagen hadden wij nauwelijks met elkaar gesproken. Onze oude twist: mijn voornemen om nu eens eindelijk zelfstandig te gaan wonen, was weer opgelaaid. Het leek me noodzakelijker dan ooit. Als ik het nu niet voor elkaar kreeg, zou ik die aanstelling wel moeten weigeren. Ik kon mijn ouwetje toch moeilijk meenemen naar Boston!

Het conflict had het vaste ritueel doorlopen. Mijn bezweringen dat ik een paar keer per week thuis zou komen eten, dat ik haar mijn vuile wasgoed zou brengen, dat ik haar steeds tegen bedtijd zou opbellen, had zij beantwoord met een huilbui. Daarna was ze zwijgzaam geworden en hartverscheurend steels in haar bewegingen. Als een kat die een plek zoekt om te sterven.

Mijn moeder was al een eind in de veertig toen haar buik begon te bollen. Ze had op dat avontuur niet meer gerekend. Kort na mijn geboorte stierf mijn vader die, te oordelen naar de foto boven de klok, een baardige robuuste kerel was geweest. De verbintenis tussen mijn moeder en mij is nogal hecht.

Ze goot de hete melk in mijn bord.

'Je laat je baard staan?' vroeg ze.

Ik knikte.

Nu wist ze dat ik binnenkort op expeditie zou gaan. Ik heb er geen verklaring voor, maar zo is het: wanneer er een beklimming ophanden is, laat ik een baard groeien; op de thuisreis scheer ik die weer af. Mijn moeder heeft geen enkel bezwaar tegen mijn hartstocht voor de bergen. Zij weet dat mijn plannen voor dat andere, veel bedreigender afscheid na zo'n tocht weer een hele tijd van de baan zijn.

Ze keek me opnieuw aan en glimlachte. Een woestbaardige Hillary zou straks vertrekken en een frisgewassen jongen zou bij haar terugkomen. Als een echo van wat vijfentwintig jaar geleden in haar leven gebeurd was.

'Een dinosauriër!' zei ze verbaasd, nadat ik haar over het reisdoel verteld had.

Ze graaide even door haar grijze krulletjes die zo stevig waren dat ze nauwelijks bewogen. Ik zag dat haar wangen zich weer met bloed vulden. Haar nieuwsgierigheid leek gewekt.

'Dat vind ik nou leuk!' zei ze.

Met veel lawaai begon ze af te ruimen. Even later riep ze me de keuken in: aan de buitenkraan hing een ijspegel.

Zodra we op weg waren, verhevigde Peter zijn inspanningen het dier voor mijn ogen op te roepen. Even voorbij Utrecht, in de trein naar Parijs, begon hij al.

'Kijk,' zei hij, en mijn blik maakte zich onwillig los van de beijsde velden die in de ochtendschemering blauwig opblonken, 'een recente foto van de pootafdrukken van de mokele mbembe.'

Zijn hand wees cirkelend een paar vage, halvemaanvormige vlekken aan.

'De doorsnede is bijna een meter. Je ziet duidelijk dat de achterpoten, ja deze hier, voorzien zijn van drie scherpe klauwen.'

In gedachten ging ik de inhoud van onze rugzakken na. De lichtgewichttenten en -slaapzakken, het droogvoedsel, de medicijnen, de fotoapparatuur. Bij elkaar was het allemaal nog veel te zwaar, we zouden de bagage ter plekke moeten reduceren. Belangrijk was de keuze: laarzen of schoenen.

'Hier moet je straks goed naar uitkijken,' vervolgde hij toen het toestel naar Marseille was opgestegen.

Hij toonde mij een opname van een hand die een tak met een paar grote vruchten omlaagboog.

'Dit is het voedsel dat hij bij voorkeur eet. De molombo, een soort appel.'

'Hoe weet je dat?' zei ik om maar iets te vragen.

'Nou, niet alleen zijn overal waar het dier gesignaleerd is deze bomen afgegraasd, vaak tot op grote hoogte, maar' – en nu kreeg zijn stem een feestelijke klank – 'iemand heeft hem die zien eten!'

Hij had het verslag van de ooggetuige bij zich en begon mij daaruit voor te lezen. Het incident zou vorig jaar hebben plaatsgevonden. Een kind van een jaar of tien was op een ochtend in een kano de rivier opgevaren en had in een inham tussen het geboomte een geweldig groot dier gezien dat de molombo's van de takken stond te rukken. Hoewel hevig geschrokken had ze toch het gedeelte van het bruinrode lijf dat boven water uitstak, de lange nek en de slangachtige kop, bekeken. Terugvarend hoorde ze een zware plons in de verte achter zich.

's Avonds om half tien pas checkten we in voor Bangui, de hoofdstad van de Centraal-Afrikaanse Republiek, vanwaaruit we Kongo zouden proberen te bereiken. Het was een heel gedoe geweest met onze bagage. De rugzakken waren doorzocht en men had onze vuurwapens in bewaring genomen.

We waren nog niet in de lucht of de lichten in de cabine verflauwden, zachte muziek zette in en men begon ons een uitgebreid diner op te dienen.

Hij zette zijn argumentatie voort.

'Er worden in onze eeuw nog steeds dieren ontdekt die al miljoenen jaren uitgestorven zouden zijn. Heel vaak in Afrika. Ik kan je er zo drie noemen. De kwastensnoek, dat is een vis die zuurstof kan ademen, de Kongo-pauw en, dat moet je toch wel aanspreken, Eduard, een dier dat tegenwoordig in elke dierentuin is aan te treffen, maar dat begin deze eeuw bij de zoölogen slechts bekend was als dertig miljoen jaar oud fossiel. De Pygmeeën beschreven hem echter steeds als een dier dat gewoon nog in hun omgeving leefde. Okapi noemden zij hem.'

Hij legde zijn mes neer.

'Zoals ze ook de mokele mbembe kennen en benoemd hebben.'

Zachtjes tuften we door de nacht. Na de likeur waren de meeste passagiers ingedommeld. Ook wij schoven de leuningen van onze stoelen naar achteren. We bestelden nog wat wijn.

'De dieren zijn schuw,' fluisterde Peter aan mijn oor, 'zeldzaam, en leven op een terrein dat voor blanken vrijwel ontoegankelijk is.'

Ik nam een slok en probeerde me te herinneren waarheen ik op weg was. Mijn onbegrijpelijke vriend had het over een ontoegankelijk terrein gehad, misschien konden we daar even op doorgaan. Tja, die Amerikaanse expedities. Stom natuurlijk van ze, om in de natte tijd te vertrekken, stom om dat te doen vanuit Brazzaville, de bureaucratische hoofdstad van de jonge volksrepubliek. Ze hadden wel begrepen dat ze bij het Téllémeer moesten zijn, daar stikte het van de dinosauriërs, dat wist iedereen, maar waarom geprobeerd die plek via de zijtakken van de rivier de Bai te bereiken? De verkeerde kant! Zelfs in de natte tijd waren ze in het moeras lelijk vastgelopen met hun afgeladen prauwen.

Wij hadden een beter plan.

Exacte, heel prettige gegevens doemden op in mijn hoofd. Afstanden, temperaturen, bodemgesteldheid, antropologische bijzonderheden: het waren bestanddelen van een gedroomd of werkelijk geluk.

Zo betraden wij het donkere continent.

In Bangui namen we onze intrek in het Centre Catholique, een villa met balkons en galerijen, nog uit de koloniale tijd, en met het interieur van een jeugdherberg. Meer dan een week hielden we ons ononderbroken bezig met het aflopen van instanties om onze doorreis naar Kongo te regelen. Het was geen eenvoudige zaak, maar Peter, die in vurig Frans pleitte en onderhandelde, was optimistisch. Er zou binnenkort een vrachtboot over de Ubangi-rivier vertrekken. Een motorprauw behoorde ook tot de mogelijkheden.

In werkelijkheid zette hij zich voor iets anders in: het opsporen van ooggetuigen.

Niemand kende het beest. Met een plaatje van de gereconstrueerde dinosauriër uit het Mesozoïcum, de diplodocus, voortdurend op zak, liet Peter zich echter niet ontmoedigen. Wacht maar af tot we in Kongo zijn. Hij leek hierin gelijk te krijgen toen we op een avond in de bar van de herberg een Kongolese Bantoe troffen die de afbeelding onmiddellijk herkende.

'Mokele mbembe!'

Ik keek naar het gezicht van Peter – zijn ogen op een kier – terwijl hij het onsamenhangend gestamel van de man aanhoorde. Hij knikte telkens en herhaalde de woorden op duidelijke toon, waardoor het leek alsof hij een plechtige gelofte aflegde. Het was lang geleden. De man was nog een kind geweest, een kleine jongen die met zijn vader in de bossen was. Nee, gezien had hij hem niet. Alleen gehoord. Een blazend, laag jammeren was aangezwollen tot een martelend gebrul. Volgens mij was die vent stomdronken.

De Ubangi bleek in de droge tijd moeilijk bevaarbaar. Nadat we Zaïrese visa hadden opgehaald voor een eventuele noodterugreis besloten we voor 10000 CFA mee te rijden in een auto naar Zinga, een havenplaats niet ver van de grens. Het was een onvoorziene uitgave, maar het ging ons allemaal te lang duren.

De bestuurder keek onverschillig naar de tekening, haalde zijn reusachtige glanzende schouders op, maar was verder heel geschikt. De twee of drie politiecontroles onderweg kon hij met gemak aan, we hoefden zelfs onze papieren niet te tonen.

Die nacht had ik voor het eerst het gevoel me in onbekend gebied te bevinden. Ik lag lang wakker en hoorde hoe het gesnurk van Peter zich welgemoed begon te vermengen met het lawaai van de krekels. Met de andere bezoekers van de herberg, een houten huisje met vloeren van aangestampte aarde, hadden we buiten onder de galerij zitten drinken. Palmwijn, heel smerig spul. Toen de duisternis inviel had men een lamp op tafel gezet die zo hevig walmde dat geen muskiet in onze buurt kwam. De hitte van de dag trok weg. Zelfs hier, in het binnenland, sprak iedereen Frans. Bereidwillig hadden ze zich over het plaatje van het reptiel gebogen. Ja ja, ze kenden hem wel. N'Yamala heette hij. Groot, gevaarlijk en al wel honderd jaar geleden uitgestorven.

Ik keek opzij. Het was aardedonker in het kamertje. Peters onverstoorbaarheid was eigenaardig. Eigenaardig ook was de bleekgele lucht, ingelijst in het open raam, die een warme zachte geur scheen af te geven. Mest, kruidnagelen en aangebrande havermout.

Gezegd moet worden dat de aanwijzingen over het dier sterker werden zodra we Kongo bereikten. Na twee dagreizen in de auto en een uiterst trage tocht met een postboot over de hier en daar bijna droge rivier kwamen we bij de grens.

De douane hield geen siësta. In het kantoortje hing een ver-stikkende hitte. Ik had gedacht dat zelfs voor Peter de somber lokkende gedaante van Mokele Mbembe wel naar de achter-grond zou worden gedrongen tijdens het hartstochtelijk bu-reaucratisch ritueel waaraan de ambtenaren ons onderwierpen. Ze bekeken onze papieren, liepen ermee weg, raakten ze kwijt, verklaarden ze ongeldig en stempelden ze ten slotte wonder-baarlijk onverschillig af. Daarna moesten de rugzakken mee, een zijkamertje in.

Op een bank in de hoek zat Peter te praten met een vrouw die een dunne turkooizen pijp rookte. Hij zweette als een rund, moest onophoudelijk de vliegen van zijn gezicht en armen ver-jagen, maar iets in zijn houding bleef verticaal en koppig. Toen de vrouw een paar weidse gebaren maakte, begreep ik wel waar ze het over hadden.

'Haar moeder heeft hem gezien,' zei hij toen we terugsjokten naar de boot.

Een dag later was het weer raak.

Ik hing over de reling en staarde naar de oevers. Ze gleden eentonig voorbij. Kort na zonsopgang hadden we op een zand-plaat drie nijlpaarden gezien, onbeweeglijk als grafbeelden, maar behalve een paar vogels had zich verder geen dier meer vertoond.

Achter mij hoorde ik brokstukken van een spannend relaas: een enorme massa was uit het water opgerezen, hoger en hoger, had de kano omgegooid en iedereen gedood.

Ik draaide me om. Onder het linnen afdak zaten Peter en een van de soldaten die bij de grens aan boord waren gekomen. De man was klaarblijkelijk een goed verteller want Peter sloeg met zijn vuist in zijn hand. Vergenoegd zocht hij mijn blik.

Een ogenblik vroeg ik mij af of hij gek was – gek als de ivoor-benige Ahab tijdens zijn jacht op de witte walvis –, toen vroeg ik: 'Hij heeft hem gezien?'

Peter schudde zijn hoofd.

'Hij niet. Zijn vader.'

Om twaalf uur 's nachts, juist toen ik wilde bekennen jarig te zijn, toverde Peter een suikerbeest en een flesje Jägermeister 'drink it ice-cold' te voorschijn. Met de hartelijke gelukwensen. Op het scheefhangende voordek lagen de drie soldaten in het

maanlicht te slapen. De boot lag aangemeerd.
'Hij kletste uit zijn nek,' zei Peter.
En even later: 'Hij heeft hem zelf gezien.'

In Impfondo, de regionale hoofdplaats van noordelijk Kongo, gingen wij van boord. Van hieruit zouden wij het moerassengebied intrekken. Al in Nederland hadden wij de hand weten te leggen op een nuttig adres: dat van de Franse arts Devos, een van de weinige Europeanen die na de revolutie van 1960 in de streek waren gebleven.

'Je hebt gelijk,' zei hij tegen Peter, 'de Bantoes durven vaak niet toe te geven dat ze hem hebben gezien. Volgens hen mag je het dier niet in de ogen kijken. En als je over hem spreekt, sterf je. Ze zijn erg bijgelovig.'

De grote, in blauw katoen geklede man – ik schatte hem een jaar of zestig – kwam overeind en liep een eindje het erf op. Hij speurde rond. Geen wonder dat het regime hem met rust heeft gelaten, dacht ik terwijl ik keek naar het goed onderhouden terrein. Onder de brede galerij van het ziekenhuis zaten de patiënten te doezelen. Bij de machinewerkplaats probeerde men een motorfiets aan de praat te krijgen. Het enige effect was vooralsnog vette zwarte rook die wegdreef tussen de palmen. Een paar mannen van nog geen anderhalve meter, lichter van huid dan de Bantoes en buitengewoon gespierd, waren ons opgevallen. Pygmeeën. Met een van hen kwam Devos naar ons toe.

'Als je iets van het oerwoud wilt weten, moet je bij hen zijn,' zei hij. 'Wat zij beweren kun je rustig aannemen.'

De man barstte los in schorre levendige klanken. Devos vertaalde afgemeten.

'Ze woonden toen nog bij het Téllé-meer. Drie mokele mbembes stoorden hen bij het vissen. Maakten de netten kapot. De boten. Toen versperden de mannen de toegang tussen de rivier en het meer. Met houten palen. Eén dier liep zich vast. Ze doodden hem met pijlen. Maar ze hebben hem niet gegeten. Het vlees van de mokele mbembe is giftig.'

Even bleef het stil. Toen stelde Peter zijn onvermijdelijke vraag. Maar voor hij had kunnen antwoorden werd Devos weggeroepen. Men had hem nodig in de kliniek.

Geruime tijd bleven wij zitten praten en roken. Een kudde

geiten werd voor ons langsgedreven door een oude vrouw met een oranjegevlekte huid als van een schol. De hond die haar vergezelde kwam een poosje bij ons liggen. Hij droeg een houten klokje om zijn hals. We bespraken de tactiek waarmee we morgen de ambtenaar van het ministerie van Wateren en Bossen moesten zien te paaien. De nodige vergunningen zouden niet gemakkelijk afgegeven worden, had Devos voorspeld. Vanuit Brazzaville wilde men binnenkort zelf een wetenschappelijke expeditie uitsturen om het beest te observeren.

Ineens was Devos weer terug en alsof ons gesprek ononderbroken was geweest, antwoordde hij: 'Jawel. Twee keer.'

Ik kneep mijn ogen half dicht en wreef door mijn baard.

De eerste keer had het niet veel om het lijf gehad: alleen de kop en de lange nek van een buitengewoon dier waren, nauwelijks afstekend tegen de luchtwortels op de oever, een moment zichtbaar geweest alvorens in het water van de Likouala-aux-Herbes weg te zakken. Een jaar geleden echter had hij in een bocht van diezelfde rivier de mokele mbembe vrijwel ten voeten uit in de modder zien staan. Een roodbruin beest, zo'n tien meter lang. Het lichaam deed denken aan een olifant, de poten aan een krokodil, de kop en nek aan een slang.

'En je moet rekenen,' zei Devos, 'ik was er heel dicht bij. De afstand tussen mij en hem was misschien dertig meter. Heel duidelijk zag ik bijvoorbeeld het eigenaardige groeisel dat van de kop, over de hele lengte van de rug, naar de staart toe liep. Een glanzend bruin weefsel dat overeind stond als een hanekam.'

's Avonds, in de open deur van onze kamer, betrapte ik me erop dat ik ze stond te beloeren: Devos en de Pygmee. Ze zaten voor de hut – een iglo van ficus- en bananeboomblad – waarvoor al de hele dag een vuurtje had gebrand. In de weerschijn van de vlammen leken de twee gezichten identiek. Alsof ik door een sleutelgat keek, had ik de indruk een detail van een buitengewoon, niet voor mij bestemd geheel te observeren. Wat wilde ik te weten komen? De Pygmee bracht een klein voorwerp naar zijn lippen. Mijn blik verwijdde zich en net voor een hoog gefluit begon, schenen de gezichten weg te vallen, versmolten ze met de bladerenhut, de duisternis en het oerwoud dat alles en iedereen insloot. Toen kwam Peter de galerij op slenteren. Ik zag de gloeiende punt van de sigaret in zijn mondhoek.

'Hij imiteert het geluid van de dwergooruil,' zei hij.

Het was deze achteloze mededeling die de verlatenheid en de raadselachtigheid van deze plek pas echt voor mij voelbaar maakte.

'Heb je een sigaret voor me?' vroeg ik.

'Leve de ontsluiting van het oerwoud!'

Op verschillende plekken in Impfondo waren spandoeken met Franstalige leuzen opgehangen. Het eerste traject van de weg door het ondoordringbaar geachte moerasbos was klaar en men had besloten dit te vieren. 'Leve de revolutie!' 'Leve Djombo Nobotje!' Op de ochtend dat de spandoeken verschenen, kregen wij onverwacht toestemming om tien dagen, en geen dag langer, in het Likouala-gebied te verblijven.

We vertrokken de volgende dag bij zonsopgang.

De truck denderde over de weg. In de cabine floten de twee Brazilianen de bossanova uit hun cassetterecorder mee. Oerwoud is oerwoud hadden ze hier gedacht, en de Braziliaanse arbeiders, die heel wat meer ervaring met dit soort wegen hadden dan zij, waren met materieel en al in transportvliegtuigen aangevoerd.

We zaten met zijn drieën achterin, Peter, ik en de keurig geklede Bantoe die bij de uitgang van de stad had staan wachten. Hij was onderwijzer in een dorp verderop, vertelde hij, en reed al wekenlang 's ochtends met de wegwerkers mee. Zijn Frans klonk onberispelijk, hij sprak op de geduldige manier van iemand die gewend is de dingen bij herhaling uit te leggen.

'Wel ja,' zei hij, 'natuurlijk.' En hij begon op zijn vingers af te tellen: 'De mokele mbembe, de gorilla, de bosolifant, de okapi, het luipaard, allemaal dieren die in deze streken thuishoren.'

Mijn ogen gleden over zijn sympathieke gezicht, het katoenen colbert, de aktentas die op zijn knieën lag, en bleven rusten bij zijn voeten. Gespierde voeten waren het, met een laag eelt van zeker een centimeter.

Een minuut of tien later tikte hij de bestuurder op de schouder. Hij schudde iedereen de hand en stapte uit. Door de bestofte ruit zag ik dat hij op zijn horloge keek alvorens in de bush te verdwijnen. Nergens was een pad. Tussen het geboomte stond een grondwerkmachine, de open happer omlaaghangend. Een ijzeren dinosauriër. Niets wees op de aanwezigheid van menselijk leven.

Onder gitaarklanken, en één keer een kort hartstochtelijk lied, gezongen door een vrouw, bereikten we het abrupte einde van de weg.

'Adeus!' riepen de mannen ons na. 'Adeus!'

En ook wij zeiden: 'Adeus!'

Over een smal pad door de rimboe waren we naar de rivier de Likouala-aux-Herbes gelopen. Onze rugzakken wogen nog zo'n twintig kilo nadat we een gedeelte van onze bagage bij Devos hadden achtergelaten. Tijdens onze snelle mars in de hitte was het me eigenlijk nog te veel.

Peter liep voorop. Hij zweette weer geweldig. Op zijn katoenen overhemd en broek verschenen donkere plekken. Maar wanneer hij zich half omdraaide, zag ik dat zijn gezicht geen spoor van uitputting vertoonde. 'Moet je kijken,' wees hij dan, en noemde me de naam van een vogel, een aap of een klein harig dier dat ons vanuit de begroeiing in de gaten hield. Veel tijd om aandacht te besteden aan onze omgeving hadden wij echter niet. De bitter korte periode waarin onze vergunning gold was aangebroken.

Toen we de tweede ochtend na een benauwde slaap ontwaakten – ook nu, in de droge tijd, was de atmosfeer zwaar en vochtig –, troffen we drie soldaten die zich in het gras voor onze tent hadden geïnstalleerd. Ze waren niet te beroerd om te wachten tot we ons ontbijt van brinta, aangeroerd met melkpoeder en water, hadden gegeten, maar brachten ons daarna min of meer op.

In de bloedhitte van de nabijgelegen garnizoensplaats onderhandelden we een dag lang met een kalme gewiekste luitenant. Ten slotte werden we het eens: tegen betaling van 80 000 CFA, ongeveer zeshonderd gulden, kregen we de beschikking over een prauw met buitenboordmotor. Een groot voordeel. Nu zouden we veertig kilometer over de rivier kunnen afleggen, helemaal tot het dorp Boa. 'Denkt u eraan,' benadrukte echter ook deze autoriteit, 'dat u zich geen dag langer dan de afgegeven vergunning in het gebied mag ophouden.'

Het nadeel van de transactie was de soldaat Alain.

Wat wij ook afwimpelden en hoofdschuddend bedankten, deze soldaat zou ons vanaf dit punt vergezellen. 'Voor uw veiligheid,' werd ons verzekerd. Maar wij zagen het anders. Petemoei stuurde een lakei mee om het middernachtelijk tijdstip in de gaten te houden.

'Ik kom uit Brazzaville. Ik haat het moeras. En ik haat het varen in deze verdomde prauw,' was het enige kijkje dat Alain ons de volgende dag, toen wij in alle vroegte de glinsterende rivier opvoeren, in zijn zieleleven gunde. Verder deed hij er het zwijgen toe. En hij zat zo roerloos in het midden van de smalle boot dat het was alsof Peter, voorin met kijker en fototoestel, en ik, bij het roer, een geboeide gevangene vervoerden.

Het geweer dat al die tijd op zijn knieën lag, leek ons onzin.

Natuurlijk begreep ik dat Peter tegenover deze norse klant het onderwerp dat hem obsedeerde, liet rusten. Het was toch een stille dag. Omhuld door het vocht en de warmte dreven we met zacht ronkende motor door het moerassengebied als in een droom. De groenachtige en bruine poelen, de monstrueuze luchtwortels van de bomen, de overvloed aan vogels: het was niet zo moeilijk je voor te stellen dat dit gebied onveranderd was. Miljoenen jaren lang.

Hier kon van alles overleven.

Ik keek naar Peter die zijn kijker liet zakken en zijn fototoestel richtte op een plek die willekeurig leek. Wat probeerde hij waar te nemen? Ineens drong het tot me door dat hij ook tegen mij al dagenlang over de dinosauriër had gezwegen.

Aan het eind van de middag bereikten we Boa.

Dit dorp was de spil, de pure genade van ons plan. Het zou altijd een raadsel voor me blijven waarom geen van de vorige expedities op het bestaan ervan was gestuit.

Een kwartiertje achter de computer van de Universiteitsbibliotheek in Utrecht had mij geleerd dat het Téllé-meer door de inwoners van Boa werd beschouwd als hun bezit; na een onduidelijke catastrofe hadden zij het oude, direct aan het meer gelegen dorp verlaten en zich vijftig kilometer verder aan de rivier gevestigd; maar het was hun gebied gebleven, zij kenden er de weg.

Die avond had ik de kaart voor Peter uitgespreid. Ik had een potlood gepakt en een lijn getrokken.

'Dit is de route die we moeten volgen.'

Ik had de kruisjes getekend. Kamp één, kamp twee, kamp drie. Zie je? Kamp vier is Boa.

'Daar nemen we vier of vijf gidsen en dragers,' had ik gezegd. Hij stemde direct in met mijn plan.

'Peter!'

Hij keerde zich langzaam om en liep naar me toe. Met tegenzin, leek het. Precies als de hand op de foto nam ik een tak en boog die omlaag. Er zaten twee vruchten aan.

'Nou?' vroeg ik toen hij naderbij was gekomen.

'Molombo's,' gaf hij toe.

Inderdaad. Het voedsel van de mokele mbembe. Ik keek veelbetekenend omhoog. Vanaf een paar meter was het hoge, liaanachtige gewas kaalgevreten. Duidelijk zag je de afgebroken takken.

Hij knikte en keek over zijn schouder. Verderop waren de vijf jagers blijven stilstaan. Alain, gemelijk een eindje bij ze vandaan, stak een sigaret op.

'Laten we doorlopen,' zei Peter.

En we liepen door, zoals we de hele ochtend al hadden gedaan: zwijgend, zwetend, ons aanpassend aan de stap van de vijf mannen uit Boa.

Die hadden zich de avond tevoren luidruchtig bedronken nadat ze tussen ons en het dorpsbestuur hadden bemiddeld.

'Wij moeten de zielen van onze voorouders tevredenstellen terwijl u hun gebied betreedt.'

Drank was daarbij nodig. Een heleboel. Dus overhandigden wij de dorpsoudsten het geld dat wij nog konden missen. Ook aanvaardden zij enkele geschenken: een horloge, een zaklamp en onze vechtpetjes. Een paar keer kwam de mokele mbembe ter sprake en dat wij hem zochten. Ik merkte dat iedereen het dier als een vanzelfsprekendheid beschouwde. Besteedde men er daarom zo weinig woorden aan? 'Het is hun vreemd,' zei Peter, 'de manier waarop wij dat dier als een voorwerp proberen op te sporen.'

Maar het was in orde. De vijf beste jagers van het dorp zouden ons vergezellen. Het leken me vrolijke lui.

Toen ze vanochtend verschenen, hadden ze een gedaanteverwisseling ondergaan. Ze hadden hun speren bij zich en droegen gevlochten manden op hun rug. Hun gezichten zagen er dof en gesloten uit.

Onze bagage moesten we zelf dragen.

De tunnel werd nauwer. Alleen groengezeefd daglicht drong nog door. Wazig. Troebel. Ik ademde door mijn mond. Als ik slikte, proefde ik de modderlucht uit mijn bronchiën.

We liepen achter elkaar. Rondom Peter, voor in de rij tussen de Bantoes, cirkelden blauwe vlinders. Iets in zijn lichaamsgeur scheen hen aan te trekken. Sommige zaten op zijn hoofd en schouders. Hij verjoeg ze niet.

Alain bleef steeds een beetje achter. Ik vroeg me af bij wie hij zich minder op zijn gemak voelde, bij de jagers of bij ons. Zijn gezicht stond slaperig. Droevig ook. Hij droeg zijn tuniek, zijn dwaze geweer over de schouder, en was als de andere Bantoes op blote voeten.

Ik keek naar de schommelende mand voor mij. Er lagen een paar dode dieren in, een bosvarken, een kleine antilope, zonder kop. Ze waren vanmorgen voor mijn ogen, bijna terloops, buitgemaakt. Op het moment dat ik zachtjes iets aan de man naast mij had gevraagd, was zijn speer langs mij heen geflitst. Het had een reflex geleken.

Jagen is luisteren, zoveel had ik wel begrepen. Die zwijgzaamheid was een werktuig. Maar terwijl we dieper het oerwoud indrongen, begon ik iets te bespeuren van het soort concentratie dat gericht is op iets veel omvangrijkers dan een enkel, persoonlijk doel.

Even later bleef iedereen staan. Dit viel niet te negeren. Weer waren de molombostruiken aangevreten, maar veelzeggender was het meters brede spoor van platgetrapte en afgerukte vegetatie dat haaks op het pad de rimboe in voerde.

Ik was de eerste die het betrad. Breed en verwoestend liep het een meter of twintig door om te eindigen in een modderige kreek.

'De mokele mbembe?' vroeg ik ronduit aan een van de Bantoes.

Hij knikte. 'Ja ja, de mokele mbembe.' Het klonk alsof hij

een kind gelijk gaf, maar ik draaide me om naar Peter en gaf hem een harde stomp.

'We zijn hem op het spoor!' schreeuwde ik.

Ook hij lachte toegevend, maar zei verder niets.

Mijn gepeins over zijn vreemde zwijgzaamheid – was het een kwestie van aanpassen? Aan het oerwoud, aan de jagers, aan de dieren? – werd onderbroken door tumult. Peter en ik liepen op het gekrijs en geschreeuw af.

We waren getuige van een slachting.

Ze hadden twee gorilla's gevangen. De enorme zwarte lijven spartelden nog. Ze staken ze met hun speren, op een paar uitge- kiende plaatsen, daarna bleven de dieren rustig liggen. Op hun rug, met uitgespreide armen. Het waren vrouwtjes. Ze sneden hun koppen af en sloegen toen met groot geweld op de dode lichamen in.

'Waarom doen ze dat?' vroeg ik.

'Ze breken de botten. Dan is het vlees gemakkelijker te ver- voeren,' zei Peter.

We gingen die dag niet ver meer. Tegen de schemering maak- ten we bivak op een open plek. De Bantoes legden hevig roken- de vuren aan waarboven ze van bamboe gevlochten roosters, op hoge poten, plaatsten. Daarop legden ze de brokken vlees van de vandaag gevangen dieren. Met huid en haar. Eerst stonk het geweldig, maar na een tijdje verspreidde zich een aroma dat hongerig maakte. Ook wij aten van het gorillavlees. Het was mals en kruidig.

Die nacht droomde ik niet. Misschien sliep ik ook niet. In de immense duisternis lag ik te luisteren naar het oerwoud. Het manifesteerde zich steeds onstuimiger. Pas toen een mono- toon, buitensporig gebrul mij begon te naderen, schoot ik over- eind.

Stilte. Rond de rokende vuren lagen de ineengerolde gedaan- ten van onbekenden.

Nu liep ik achter Peter. Het was waarschijnlijk zijn exorbitante gezweet dat die insekten aantrok. De blauwe vlinders bedekten zijn hoofd en schouders. Als kind ben ik door mijn moeder een keer meegenomen naar een voorstelling van *Die Zauberflöte*. Het had zich in mijn bloed genesteld. Het oerwoud of het dier, ik kon geen onderscheid meer maken. Mijn ogen en oren spanden zich in, vaag besefte ik dat mijn stemming buitenzinnig was: ik keek uit naar het dier.

Maar ook ik had geen behoefte meer aan praten. Dit traject was nog zwaarder dan dat van gisteren. De overdadige flora had iets afstotelijks – vet, gezwollen –, de bodem begon drassig te worden en zoog aan onze voeten. Toen ik omkeek, zag ik dat de Bantoe achter mij licht hijgde.

Halverwege de dag rustten we. We schepten water uit een poel, dat Peter en ik, alvorens het te drinken, ontsmetten. De Bantoes gaven ons stukken maniok. De hitte nam toe. Het was die dag nog geen moment licht geweest.

'Morgen bereiken we het Téllé-meer,' zei Peter.

Even vroeg ik me af waar hij het over had.

De schemering viel in zonder dat ik mij herinnerde dat de middag was verlopen. Alleen één beeld kon ik terugvinden: Peter, van top tot teen met de vlinders bedekt, die zich grijnzend naar mij omdraaide. 'Wil je een sigaret?'

De Bantoes legden hun vuren aan. Ze plaatsten hun roosters met daarop het vlees, als de vorige dag. Op deze wijze gerookt zou het maandenlang goed blijven, zeiden ze.

's Nachts werd ik wakker door de regen. Door de regen. Ik had mijn slaapzak tussen een paar boomwortels uitgerold en was daarop, te uitgeput, te verhit om erin te kruipen, in slaap gevallen. Nu voelde ik de tikken op mijn benen. Ik zag dat Peter zijn slaapzak dichtritste. De Bantoes bleven gewoon liggen op hun matjes, Alain als een kind op zijn buik, zijn arm over zijn geweer gevouwen. Daarna begon het ruisen, het oerwoud moest de loodrechte stroom doorlaten. Ik werd kletsnat, maar koelde nog niet direct af. Dat gebeurde pas toen de kom waarin ik lag zich geleidelijk vulde, toen het water oprees tot aan mijn benen, mijn kloten, mijn buik, en ik onder een overstelpend gevoel van welbehagen – vijfentwintig jaar geleden in de duistere warmte van mijn ouwetje kon ik niet beter af zijn geweest – weer wegdoezelde.

De volgende ochtend boorden we ons verder, de aarde in, leek me. Ik had elk besef van tijd en plaats verloren. Stomend was ik opgestaan. Binnen tien minuten was alles aan mij weer droog. We klauterden nu meer dan dat we liepen, van het pad was niet veel meer over. Plotseling bleven de Bantoes staan. 'Het Téllé-meer,' zei een van hen. Hij gebaarde met zijn arm. Eerst begrepen we het niet. De man wees omhoog. Toen zagen we het witte schijnsel boven de bomen hangen. Ik haalde diep adem. De lucht leek mij frisser.

Nog onverhoeds stonden we aan de donkergroene plas. Het oerwoud had op het laatste ogenblik, aan de rand van het water, zijn vaart pas ingehouden.

Doorsnede: zo'n driehonderd meter, schatte ik.

Peter wankelde en pakte mijn schouder.

'Het Téllé-meer, Eduard. We hebben het gehaald!'

Het zweet droop van zijn roodaangelopen gezicht zijn hals in, maar de vlinders waren verdwenen. Hij veegde over zijn ogen.

Ik observeerde het troebele water en stelde vast dat er een paar kreken op uitkwamen.

Misschien een uur later zag ik de mokele mbembe.

Ik zat op een boomwortel en staarde over het meer. Kalmte. Twee roodgekuifde vogels die langsscheerden. De uitputtende tocht was uit mijn geheugen en mijn lichaam weggetrokken. Ik was hier toevallig. Ook het tijdstip, twaalf uur tien, zaterdag 20 februari 1988, leek geen verband te hebben met voorafgaande gebeurtenissen. De witheid van de lucht verbaasde me. Vrieslucht. Even kwam mij het beeld voor ogen van mijn moeder die haar bovenlichaam uit het keukenraam boog om mij de haardroger aan te reiken waarmee ik de leiding van de buitenkraan zou proberen te ontdooien. Toen mijn blik weer zonk, zag ik hem staan. Hij moest uit de kreek rechts van mij zijn opgedoken.

Een roodbruin lichaam van zeker tien meter. Het viel tegen de boomwortels op de oever niet eens zo erg op. Zijn natglanzende nek zwaaide heen en weer terwijl hij mij met zijn reptieleogen onaangedaan bekeek. In de kleine kop waren de neusgaten hoog ingeplant. De bek was nogal komisch neerwaarts getrokken. Hoe lang we elkaar aankeken weet ik niet, maar er was niets in zijn verschijning dat mij angst aanjoeg. Ik observeerde hem kalm.

Het was een dinosauriër. Geen twijfel aan.

Pas nadat hij met een geweldige plons in het water was verdwenen, en de uitdijende cirkels alsmaar vlakker werden, begon ik mij te verbazen.

Onder de palmen – het enige dat nog restte van het oude dorp Boa – was Peter nog steeds bezig zijn notities bij te werken.

'Hoorde je die plons niet?' vroeg ik.

Terwijl hij bleef doorschrijven vertelde ik hem dat ik de mokele mbembe had gezien.

Zijn reactie was niet sympathiek.

'Onmogelijk!' riep hij. Maar hij sprong overeind. Zijn eerste blik gold het fototoestel dat om mijn hals hing.

'Kom nou maar mee,' zei ik. 'Die foto's maken we nog wel. Dat beest zit daar gewoon.'

Een hele tijd zaten we aan het meer. Ik begon me moe te voelen. Over mijn borst gleed een straaltje zweet, koud als een mes. Een paar keer trok er een rilling door me heen. Misschien was de regen vannacht toch niet zo goed geweest.

Ik vertelde Peter tot in detail hoe de dinosauriër eruitzag. 'En je moet rekenen,' verzekerde ik hem, 'ik was er heel dicht bij. De afstand tussen mij en hem was misschien dertig meter. Heel duidelijk zag ik bijvoorbeeld het eigenaardige groeisel dat overeind stond als een hanekam...'

Hij keek mij scherp aan. Precies op dat moment begonnen de rillingen pas goed. Ik wilde opstaan, maar mijn benen gleden dwaas weg in de slijkerige bodem.

'Je bent ziek,' zei Peter.

Ik kon niet eens zonder zijn hulp mijn slaapzak in kruipen.

Die nacht wist ik dat ik stierf. 'Hou mijn hand vast,' zei ik daarom tegen Peter. Hij voldeed aan mijn verzoek, maar niet voordat hij mijn hoofd optilde, een handvol pillen in mijn mond gooide en me tamelijk hardhandig een slok smerig water te drinken gaf.

Ik weet dat de wereld stevig met twee benen op de grond hoort te staan. Tijd en plaats: certificaten van echtheid. Maar toen ik stierf, die nacht in het oerwoud, begreep ik dat het maar afspraken waren. Handig in het gebruik, meer niet.

Want soms was de zwarte hemel vol stank van smeltend haar

en dichtschroeiende huid – de jagers hadden hun dag goed be-
steed – en soms kon ik tussen de bomen door de ineengedoken
figuur van Peter zien, op het heetst van de dag uitkijkend over
het meer. 'Je kunt niet verwachten dat wij het oerwoud in den-
deren en zomaar even dat dier optrommelen,' bromde hij aan
mijn oor, en herhaalde het ritueel met de pillen. Dan opeens
stond mijn moeder van tafel op, een arm tot de elleboog bedekt
met vuile borden, en zei: 'Een dinosauriër, ik ben benieuwd!',
dan weer werden wij met een handgebaar gewenkt door Devos,
we schoven aan bij het vuur en de Pygmee gaf ons een opgerold
eucalyptusblad met lichtbruine tabak. Ik hoor erbij, dacht ik
vergenoegd. Er zoemde een vlieg rond mijn hoofd. Even klonk
zijn gegons diep in mijn oor en ging toen over in het hoge gefluit van de dwergooruil. Weer zat Peter bij het water, nu met
een doek om zijn hoofd tegen de zon. Je kon zo zien dat zijn
gedachten een verre reis maakten. 'Ja hoor,' mopperde hij
zachtjes tegen me, 'wij zouden het mysterie wel even komen
oplossen.' Ik zag Alain met zijn onvriendelijke gezicht op ons
toe komen. 'Opbreken!' commandeerde hij. Natuurlijk miste
ik de mokele mbembe. Maar ik begreep dat hij afwezig was.
Een koortsvisioen behoort niet tot de werkelijkheid.

En terwijl ik staarde naar de duisternis, de vlammen en de
slapende mannen, werd de afstand tussen mij en de golfbewe-
gingen van dat ongelooflijk mooie, heldere patroon groter en
groter…

Op een ochtend werd ik wakker met een koel hoofd. Terwijl
een gevoel van spijt, van verlies, haastig uit mij wegtrok – het
vage iets achterna wat al eerder, onhoudbaar, als water uit mijn
vuisten was weggestroomd –, kwam ik overeind.

Ze zaten te ontbijten. Ik rook maniok en brinta. Peter stak
zijn hand op en boog.

'Goedemorgen, Eduard!'

Ik slenterde naar hem toe en vroeg naar het verloop van mijn
ziekte.

'Nou,' zei hij, 'je knapte flink af gistermiddag. Ik had niet
gedacht dat je weer zo gauw op de been zou zijn.'

Toen kwam Alain op ons af en zei dat we vandaag zouden
vertrekken. Peter reageerde woedend. Volgens onze bereke-

ning hadden we nog twee dagen. Aan het adres van Alain viel het woord 'salaud'. Ze stonden nog te bekvechten toen de jagers hun manden begonnen in te pakken. Ik vroeg me af wat Peter hier nog had willen doen.

Een dag later redde ik zijn leven.

We hadden een onaangename tocht achter de rug. Alain joeg ons op. Hij gunde ons nauwelijks de tijd om te eten of om op het heetst van de dag even te rusten. Telkens kwam hij weer aanzetten met zijn norse gezicht. 'Opbreken!' En dan verhing hij zijn geweer van de ene naar de andere schouder. Peter leek uit zijn doen. Zenuwachtig. Een paar keer kreeg ik de indruk dat hij me observeerde, maar als ik zijn ogen ontmoette, wendde hij zijn gezicht af.

We kwamen op de plek waar de gorilla's waren buitgemaakt. Zonder op de protesten van Alain te letten, liep Peter het omwoelde spoor op. Ik volgde hem. De twee koppen van de gedode dieren lagen er nog. Wit, bewegend van de maden. Hij pakte zijn mes. Nog nooit heb ik iemand bezig gezien met zo'n smerig karwei. Hij schraapte de schedels schoon. Het stinkende vlees, de ogen, de kronkelende wormen, hij haalde het allemaal geduldig weg.

Even keek hij op. Zijn ogen stonden dof.

'Het is niet eens bekend dat hier gorilla's voorkomen,' zei hij.

Ineens was Alain er. Hij hield het geweer in zijn handen. Hem negerend liep Peter naar de kreek verderop. Ik zag dat hij de schedels begon schoon te boenen. Toen hij terugkwam had Alain het geweer in de aanslag.

'Geef ze aan mij,' beval hij.

Peter klemde zijn lippen op elkaar. Met gespreide benen, de druipende schedels naast zijn lichaam, zei hij: 'Je kan doodvallen.'

Niet het hoger richten van het geweer, niet de handbeweging die iets aan het mechaniek verschoof dat dreigend klikte, maar de uitdrukking op het gezicht van de soldaat deed me besluiten. Angst.

Ik liep naar Peter toe en pakte de schedels uit zijn handen. Ze waren gruwelijk om te voelen. Een voor een overhandigde ik ze aan Alain die ze zonder zijn ogen van Peter af te wenden over zijn schouder heen de struiken in gooide.

Toch klaarde er hierna iets op. Ik weet niet waarom. Het marstempo werd rustiger, Peter en ik praatten zacht met elkaar en Alain bleef, als op de heenweg, een beetje achter en bemoeide zich nergens meer mee.

Halverwege de volgende ochtend waren we terug in Boa. Peter en ik werden ingehaald als bevriende opperhoofden; er begon een feest dat tot diep in de nacht duurde; we mochten fotograferen wat we wilden. Ze vertelden ons dat de voorouders zeer te spreken waren geweest over onze tocht.

Zij noch wij begonnen over de mokele mbembe.

De terugreis verliep moeizaam. Op veel plaatsen was de Ubangi onbevaarbaar, ons geld en eten raakten op en in Impfondo zaten we twee dagen vast op het politiebureau. Voordat men ons liet gaan werden onze fotorolletjes en apparatuur in beslag genomen. Nooit zouden we kunnen waarmaken ook maar een voet in het oerwoud gezet te hebben! Het vliegtuig vertrok uit Bangui met tien uur vertraging.

In Marseille logeerden we in een hotel aan de haven. 's Middags ging ik naar de kapper. De man bleef met gekruiste armen toekijken toen ik me naar de spiegel boog. De witte plek op mijn gezicht zag eruit als geschept papier. Er waren, naast de mond, een paar barstjes in getrokken.

Elf maart vertrokken we met de trein uit Parijs. Terwijl Noord-Frankrijk in dichte mist voorbijgleed, zaagde Peter mij door over een onderzoek waarmee hij bij thuiskomst van start zou gaan. Het had te maken met de vorm van de vleugels van een bepaalde mottensoort op de moerbei of iets dergelijks. Hij zou ervoor naar het Verre Oosten moeten. China of Japan.

Op het station in Utrecht wachtte mijn moeder me op. Haar roodgeverfde mond verraste me. Met vlugge ogen inspecteerde ze mijn gestalte. 'En?' vroeg ze, nadat ik haar had gekust. 'Wat bedoel je?' vroeg ik. Een beetje ongeduldig zei ze: 'Nou, hoe zit het met dat beest? De dinosaurus?'

Vertederd door haar nieuwsgierigheid sloeg ik opnieuw mijn armen om haar heen.

'Gut ja,' zei ik. 'Hij bestaat.'

Op hetzelfde ogenblik schoten mij de beelden van die dag

weer te binnen en begreep ik dat niets van wat ik had beleefd was verdwenen. De kalmte van een tropisch meer niet, het oog-contact met een voorwereldlijk dier niet, en ook de vanzelf-sprekendheid en ja, het geluk, eigenlijk, van de hele situatie niet.

Ik grijnsde naar Peter die aan kwam lopen.

DE DAG VAN ZONNEGLOREN

Het was nog donker toen ze merkte dat hij opstond en door de kamer begon te scharrelen.

'Kom terug in bed, Jacques,' mompelde ze. 'Het is nog te vroeg.'

Hij reageerde niet, maar opende op de tast de linnenkast. Hij rommelde tussen het goed.

'Ik moet me wassen,' zei hij.

Ingepakt in haar dekens en lakens voelde ze toch dat het koud was geworden die nacht. Achter de gordijnen hing een eigenaardige stilte. Misschien had het gesneeuwd. De douche begon te ruisen en ze dommelde weer in, hevig dromend.

Toen ze voor de tweede keer wakker werd zat hij aangekleed op het bed. De gordijnen waren opengeschoven.

'Nee, niet die sokken.'

Ze wees knikkend naar buiten. In de schemering waren de huizen van de overkant te zien. Er lag een laagje sneeuw op de daken.

'Het is koud. Doe die blauwe aan, jochie. Die dikke wollen.'

Ze kwam uit bed, pakte de sokken uit de la en ging naast hem op de rand van het ledikant zitten. Ze was een dikke vrouw met een gaaf gezicht en waterige, lichtblauwe ogen. Leeftijd onbestemd. Zestig kon, zeventig ook. Terwijl ze hem de sokken aantrok en even met beide handen zijn grote voeten wreef, bleef de man kaarsrecht zitten, kalm voor zich uit kijkend. Ook hij had blauwe ogen, donker en diepliggend.

'Ga je nu maar scheren,' zei ze.

Het was bijna acht uur toen ze aan het ontbijt zaten. Ze had sinaasappels uitgeperst en eieren gebakken. Ze reikte hem het broodmandje aan.

'Hoeveel mag ik er?' vroeg hij.

'Zoveel je maar wilt. Eet maar lekker.'

Hij pakte twee broodjes en legde ze naast zijn bord. Terwijl hij een derde begon open te snijden zette zij haar bril op en vouwde de krant uit. Op haar gemak las ze de berichten, allemaal, ze had geen voorkeur. Ze at niets, maar dronk de hele theepot leeg. Zo nu en dan keek ze even op en ontmoette zijn ogen. Hij zat stevig te kauwen, zijn gezicht een en al beweging.

Deze grote man had altijd goed gegeten. Hij was gulzig van aard. Zo jong als ze was geweest had ze dat meteen begrepen. Met zulke handen. Met zo'n brede mond. 'Deze zomer trouw ik met haar!' had hij uitgeroepen, met onheilspellende vrolijkheid de familiekring rondkijkend, en het gansje werd de richting van twee elegante schoonzusters opgeschoven. Het gansje zat een avondlang op een rechte stoel en hield geen oog af van zijn bulderend lachen, zijn drinken, de bloedneus die hij zijn broer per ongeluk stompte, de knipogen die dwars door de eivolle kamer voor haar bestemd waren. Die grote man tegenover haar moest wel de vrolijkste man ter wereld zijn.

Ze keek naar buiten. Het daglicht was wazig. De auto zat onder de sneeuw. Aan de overkant gingen vrijwel tegelijk twee deuren open. Mannen in donkere jassen verschenen. Ze liepen naar hun auto en begonnen de ruiten schoon te vegen. Een van hen had problemen met starten. Daarna bleef de motor lang stationair draaien. Stoom dreef door de straat.

Hij was nu klaar met eten en zat haar aan te kijken met zijn gewone, gekwelde gezicht. De angst van de laatste jaren had zijn trekken scherp gemaakt. Het leek of hij zijn ogen wilde verbergen, zo diep lagen ze in de kassen en naast zijn vroegere fijnproeversneus, nu een hoekige snavel, liepen twee diepe groeven. Zijn mond zat onder de kruimels.

'We gaan zo,' zei ze. 'We wachten nog even tot het spitsuur voorbij is.'

Hij stond op om zijn handen en zijn gezicht te gaan wassen.

'Waar breng je me naar toe?' vroeg hij toen hij weer binnenkwam.

'Dat weet je toch wel? Het is de dag van Zonnegloren.'

Maar natuurlijk begreep hij er niets van. Waarom moest deze jager, deze visser, deze halve zigeuner, begrip hebben voor de vervaardiging van asbakken? Voor de gloeiend hete oven waarin ze gebakken werden? Voor de rode verf waarmee ze door hem beschilderd moesten worden?

Hij dacht even na.

'Ik wil bij jou blijven,' zei hij.

Ineens voelde ze zich hevig schuldig. Niet omdat ze hem naar het dagverblijf bracht, hij was er niet slechter af dan thuis. Maar het was haar onnozelheid. Vanochtend bekroop haar het gevoel dat haar eenvoud misdadig was. Waarom kon ze zijn spoor niet volgen? Waarom kon ze niet met zijn ogen zien? Wat was de verschrikking waar hij niet mee kon leven?

'Ik kom je vanavond weer halen, lieverd,' zei ze hulpeloos.

Breed stond hij voor haar. Ze hielp hem in zijn jas. Voorzichtig leidde ze hem over het tuinpad. Toen ze rondliep om de ruiten vrij te maken leek het of de kleine auto helemaal opgevuld was met een in elkaar gedoken vogel. Twee ogen volgden haar bewegingen met het onbegrip van een dier.

Ze reden het dorp uit. Naast de weg lagen de witte, doodstille landerijen. Herinnerde hij zich de schoten, de spanning, de triomf? Als hij thuiskwam legde hij zijn buit met de bebloede haren, de bebloede veren, in de schuur. Hij was heel handig in het villen en plukken. De dieren kwamen netjes bij haar op het aanrecht. Een nederige offerande. Ze was altijd goed geweest in het bereiden van wild en het was eeuwig zonde dat hij al jaren weigerde welk dier dan ook te eten.

Ze reed behoedzaam. Er was weinig verkeer, maar het zou hier en daar glad kunnen zijn.

'Kijk, Jacques, wat mooi,' zei ze toen ze de plassen naderden. Hij staarde even naar haar profiel.

De smalle weg was niet meer dan een dijk tussen de meren. Een omfloerste zon gaf de lucht en het water de glans van metaal. In de verte hadden de dorpen nauwelijks contouren. Mooi, inderdaad, voor wie dit kon zien. Ze schrok even van een onverwachte gebeurtenis: een zwerm vogels scheerde met wilde geluiden over de weg. Boven het water verspreidden de dieren zich wat, maar bleven bij elkaar. Plotseling waren ze weer verdwenen. Feilloos. Vastberaden. Volkomen op de hoogte van hun positie binnen de ruimte en binnen de tijd.

Hij was haar man. Ze kende het ritme van zijn ademhaling. Ze rook zijn geur. Zonder opzij te kijken wist ze hoe de schaduwen op zijn gezicht vielen. Het gevoel van rampzaligheid was terug, nog erger dan zoëven thuis. Want ze vermoedde dat het niet alleen zijn tegenwoordige geheimzinnigheid was die haar buitensloot alsof ze tot een andere planeet behoorde. Hij was haar altijd vreemd geweest. Zelfs, juist in de nachten waarin hij haar met zijn lichaam overmande.

Met wie had ze haar leven doorgebracht?

Het liep tegen tienen. Fel zonlicht brak door. De plassen links en rechts begonnen te schitteren als spiegels.

Er waren een paar winters geweest dat ze niet zwanger was. Ze hadden hier geschaatst. Ze was voor hem uitgereden, heel wat sneller dan hij, voor het eerst superieur. Midden op die vlakte, onder een hemel die sneeuw en storm beloofde, met die ploeterende demon achter zich aan, had ze haar lichaam tot in de kleinste moleculen voelen veranderen. Ze wist zeker dat ze mooi was. Zo mooi als het riet en het ijs en de diepe zwartheid die onder haar glansde. De hele combinatie was volmaakt. Ze schrok niet in het minst van zijn greep toen hij haar toch te pakken kreeg en haar zo hard kuste dat haar lippen barstten en gingen bloeden.

Aan het begin van het volgende dorp waren stoplichten. Het uur waarop men boodschappen doet was nog niet aangebroken. Langzaam reden ze door een lege straat met gemoderniseerde winkels. Overal was neonlicht aan. Ze merkte dat hij om zich heen begon te kijken: inderdaad verscheen op de hoek het kleurige uithangbord van de snoepwinkel.

'Wil je wat lekkers, Jacques?'

Hij knikte verheugd. Ze parkeerde, liep om de auto heen en hielp hem uitstappen. Voor de etalage overlegden ze. Uiteindelijk koos hij een simpel chocoladefiguurtje. In de winkel moesten ze wachten tot de verkoopster klaar was met het rangschikken van een rij witte bonbons in de vitrine, maar werden toen heel vriendelijk geholpen. Het chocoladefiguurtje werd in een uitklapbaar doosje gepakt en aan hem overhandigd. Over de toonbank heen glimlachten de beide vrouwen naar elkaar. Maar hij aarzelde om te vertrekken. Hij liep om en nam de verkoopster even apart.

'Het is mogelijk dat mijn jas net langs die zuurstokken is gestreken,' verklaarde hij. 'In ieder geval stond ik er erg vlakbij. Misschien is het niet verstandig om ze nog te verkopen.'

Terug in de auto begon hij direct te eten. Het waren maar een paar happen. Ze pakte alvast de schone zakdoek en reikte hem die aan zodra hij klaar was. Met samengetrokken gezicht veegde hij zijn handen af, zijn polsen en ook nog elke vinger apart. Daarna legde hij de handen terug op zijn knieën en bleef ze met zijn kin op de borst bekijken.

Ze keek met hem mee. De handen lagen daar als zware, onbekende voorwerpen. Toen overkwam haar iets ontstellends: ze had het gevoel dat ze hetzelfde zag als hij. Medelijden schoot door haar heen, fel als lichamelijke pijn. Ze wilde zijn hand grijpen, maar hij trok terug en wierp haar een blik toe, zo openhartig en gruwelijk dat haar adem stokte. Even meende ze de werkelijke angst op te vangen.

'Laten we gaan,' fluisterde ze.

Ze startte, schakelde ruw en de auto schoot weg.

Het dorp ging bijna zonder onderbreking over in het volgende. De smalle weg sneed hier als een kartelig mes door de maatschappelijke standen: rechts bevonden zich de buitenhuizen in hun parken met oude bomen, links de arbeidershuisjes, leunend tegen elkaar, met achtertuintjes die uitkwamen op de vaart. De middenstand was eenzijdig van samenstelling. 'Wasserij', 'Chemisch reinigen', 'Was-o-matiek' vermeldden de gevels. In dit dorp moest ontstellend veel gewassen worden.

Voor het hotel stond een rij auto's. Witte linten en witte bloemen waren aan de antennes bevestigd. Mensen, kleurig als vogels, daalden het bordes af.

Ze wees.

'Kijk, Jacques, een bruiloft.'

Ze hoopte dat hij de kerk die een paar honderd meter verderop tussen de landhuizen in stond zou vergeten.

Maar zijn scherpe ogen hadden de open zijdeur al opgemerkt.

'Ik wil biechten,' zei hij.

Het had geen zin tegen te werpen dat hij deze week al een keer in de kerk geweest was. Dat hij vorige week twee, drie andere kerken bezocht had. Dat iedere geestelijke in de verre omtrek inmiddels op de hoogte moest zijn van zijn geheime verhaal.

De dikke laag grind knerpte onder hun voeten. In het portaal was het ijskoud, maar eenmaal door de zware draaideur was het aangenaam. Je kon voelen dat het hier goed geïsoleerd was. De dingen die hier gebeurden ontsnapten niet, maar bleven hangen in de vorm van geur. En ook de geur verschaalde niet.

Ze liepen door de zijbeuk en kwamen bij een deur vanwaarachter zachte geluiden opklonken. Voetstappen. Getinkel van vaatwerk. Ze klopte. 'Ja?' werd er geroepen. De deur ging open en er verscheen een jongeman in een rode trui.

Hij keek de man en de vrouw vragend aan.

De man stak zijn hoofd naar voren.

'Ik moet de pastoor hebben,' zei hij.

'Ik ben de pastoor,' zei de ander vriendelijk.

De man zweeg even en herhaalde toen: 'Ik moet de pastoor hebben.' Hij voegde eraan toe: 'Ik moet biechten.'

De blik van de jongeman gleed weg van het tweetal en dwaalde door de kerk. In een van de zijmuren waren een paar deuren met bovenruiten van glas in lood.

'Wacht maar even,' zei hij tegen de man en verdween weer. De deur liet hij op een kier staan.

Verrassend snel was hij terug, in toga en wit superplie. Terwijl hij de paarse stola om zijn hals schikte beduidde hij de man hem te volgen. De vrouw sloot zich bij hen aan.

De priester opende een van de deuren. In de kleine donkere ruimte stonden een stofzuiger, een stapel boeken met rode kaft en wat stokken waaraan slappe fluwelen zakjes waren bevestigd. De priester bukte zich en begon alles te verwijderen, ook de boeken die eigenlijk niet echt in de weg stonden. Ten slotte kwam de knielbank vrij. De man, die onbeweeglijk had staan wachten, en de priester verdwenen ieder door een deur.

Ze ging zitten in een zijbank. Het was doodstil. Ook van achter de deuren drong geen enkel geluid door. Haar ogen dwaalden rond en bleven rusten op de icoon in de nis voor haar: ze keek naar de vertrouwde afbeelding van de gekruisigde man met de bebloede handen, de bebloede voeten.

Wanneer was het begonnen? Misschien wel tien jaar geleden. De laatste tijd herinnerde ze zich dat hij zich op de dag van zijn pensionering heel vreemd had gedragen. Er was een mooi feest voor hem aangericht. De wethouder had een toespraak gehouden. Over zijn grote verdiensten voor het dorp. Over zijn onmisbaarheid, eigenlijk. Ook waren er enkele toespelingen op de laatste oorlogswinter. Zijn moed. Zijn sluwheid. Dat niemand de schuilplaatsen in het veen zo goed had geweten als hij.

Ja, er was mooi gesproken. Maar Jacques was te dronken geweest. Jacques was na afloop ruzie gaan maken. Een vriend die hem de hand wilde drukken, had een paar gemene scheldwoorden naar het hoofd gekregen en was stomverbaasd afgedropen. Ach, deze doodgoeie man had niet afgedankt willen worden. Dat was het geweest.

Ineens klonken er vlak boven haar een paar aarzelende klokslagen. Elke klank riep een nieuwe, luidere klank op. Er werd een kolom van geluid op haar hoofd gestapeld. Een kolom van triomfantelijk gebeier. De bruiloft… Voor in de kerk verscheen een man in een grijs pak die de kaarsen in de enorme kandelaars begon aan te steken.

De deuren naast haar klapten open. Ze wendde haar hoofd om. Ze zag de zich snel verwijderende priester en de gebogen gestalte van haar man die op haar wachtte. Onveranderd.

'Kom,' zei ze luid fluisterend. 'Nu moeten we toch echt opschieten.'

Bij de uitgang spreidde hij zijn handen een voor een in het bekken met water.

Het was bijna elf uur. In de auto was het behaaglijk warm. Intiem. Bijna als in bed. Deze tochten waren helemaal niet onplezierig. Ze keek naar de bomen langs de dorpsweg. Het waren berken van een zeldzaam soort, die met hun brede witte stammen wel iets weg hadden van platanen. Over een kwartier zouden ze in de stad zijn.

'Zit je lekker, Jacques?' vroeg ze vriendelijk.

Eerst reageerde hij niet, maar toen ze onderzoekend opzij keek mompelde hij: 'Ik voel me niet goed.'

'Wat is er dan? Wat heb je?'

'Ik ben misselijk.'

Ze schakelde terug, maar aan stoppen viel hier niet te denken.

'Blijf maar rustig zitten. Het gaat zo wel weer over,' bezwoer zij.

Maar ineens begon hij te zuchten, begonnen zijn handen om zich heen te zoeken, te tasten naar de deur en naar de pluizige stof van haar jas.

Toen ze een plein op reed, speurend naar een plek om te parkeren – er was juist schoolpauze en de jongelui gingen geen stap uit de weg – zakte hij met een zacht gebrom opzij.

Ze slaagde erin door de drukte heen te komen en de auto te parkeren. Ze stapte uit en liep naar het andere portier terwijl ze dacht: frisse lucht, hij heeft gewoon frisse lucht nodig. Toen ze de deur opende en zich naar hem toe wilde buigen, viel hij. Ze strekte haar handen uit naar zijn hoofd. Het gewicht van zijn lichaam was ineens enorm.

'Jacques! Jacques!' riep ze verschrikt.

Hij lag half op straat. Gehurkt, haar handen nog steeds rond zijn hoofd, keek ze om zich heen. Behalve een paar scholieren die verderop stonden toe te kijken zag ze niemand. Haar handen zaten ingeklemd tussen de warmte onder het haar en de ijzige straatklinkers.

Er arriveerde een jongeman op de fiets. Hij stapte vastberaden af, alsof hij had geweten waar hij moest zijn. Zijn grote, bijna kaalgeknipte hoofd boezemde haar vertrouwen in. Samen legden ze het zware lichaam netjes naast de auto.

De jongeman deed zijn sjaal af en maakte een kussentje voor onder het hoofd. Daarna tilde hij de oogleden op en tastte naar de pols. Ze keek met wijd open ogen toe. Deze uiterst belangrijke handelingen waren kalmerend.

'Mijn man is dement,' zei ze.

De ander scheen even over haar woorden na te denken. Toen richtte hij zich op en keek haar vast aan.

'Uw man is dood,' zei hij.

Het werd een hele drukte. Terwijl ze nog steeds op haar hurken zat en nieuwsgierig in het zomaar dode gezicht staarde, hoorde ze verschillende sirenes naderbij komen. Er werd met deuren geslagen. Deze kant op! werd er geroepen, en: Uit de weg, mensen! Enkele lummels in felgekleurde jacks waren nu toch naderbij gekomen en moesten opzij gaan voor de brancard. Ze pakten hem heel zorgvuldig in, met dekens en riemen, en schoven hem toen met het grootste gemak in de wagen.

Een politieman deed haar overeind komen, en stelde haar een aantal vragen, van persoonlijke aard, waarop zij nauwgezet antwoordde.

Wat raar dat men haar ten slotte verhinderde in haar eigen auto te stappen. Terwijl haar verdriet nog lang niet bovengekomen was. Terwijl niemand zou kunnen beweren dat haar zintuigen niet volgens de voorgeschreven patronen werkten, want kijk: daar, voorbij de kromming van de weg waren de witte landerijen en de witte bomen en de zon, de ijskoude zon boven langgerekte lichtpaarse wolken.

OP DE RUG GEZIEN

I

Na twee weken begon de regelmaat van het leven in de villa haar op te vallen. En regelmaat is altijd goed. Ze betekent verzoening met de tijd en dus met het leven. Sonja's dagen bestonden uit opluchting en verlangen. De nachten waren bestemd voor de angst.

O, wat was dat een mooi huis! Ze waren verbaasd dat het zo lang had leeggestaan.

'Het is een ongelukkig huis,' zei de kruidenierster bij wie ze hun eerste inkopen deden. Terwijl ze de flessen witte wijn, de noten en de koffie stond in te pakken, vertelde de vrouw hun dat de vorige bewoner zich verhangen had.

'Een keurig nette man, meneer,' zei ze, het doosje aan Leo overhandigend.

Ze liepen door de kamers, gooiden overal de hoogzomerse ramen open en onder de haak in de serre, daar waar vroeger een kroonluchter had gehangen, nam Leo haar in zijn armen. Sonja was erg jong, en vermoedde toen even dat ze alles bezat wat op deze wereld van belang was. Een echte man. Een echt huis.

'Kijk. We hangen er gewoon een bos korenbloemen aan. Op zijn kop. Dan drogen ze en blijven ze helderblauw.'

Toen ze dat zei was het alweer uren later. Het huis was ingewijd. Ze hadden de namiddag doorgebracht in een schemerige kamer waar een kastanje half voor het raam stond. Ze hadden het heel rustig, bijna kwijnend gedaan deze keer. Leo had haar jurk losgemaakt zonder haar aan te kijken, hij had naar de knoopjes gestaard alsof het parels waren. Weer had het zachte gegrom haar geïmponeerd. Het was duidelijk dat er emoties bestonden waarin zij was betrokken zonder ze te doorgronden.

Op zondag, tegen het vallen van de avond, moest hij vertrekken. Ze stond bij het hek en zwaaide hem uit. Haar jurk waaide om haar benen. Beiden riepen ze: 'Tot over vijf dagen!'

'Tot over vijf dagen... tot over vijf dagen...' fluisterde Sonja.

Wat betekende dat, nu het zondagavond was en de melancholie over het land en de snelwegen begon te schuiven, nu de ramen en de terrasdeuren werden gesloten om de kilte buiten te houden… (In haar witte jurk liep ze langzaam terug naar het huis. De warmte was verdwenen, maar de geur van de rozen en de kamperfoelie hing nog rond. Ze beklom het trapje van het bordes. Peinzend sloot ze de deuren.)

Ze had nooit geweten dat die vogels al zo vroeg kwetterden. Maar iedere keer weer begonnen ze met het verjagen van de nacht als het nog donker was. De vogels verjoegen het monsterverbond tussen haar gedachten en de beweeglijkheid, de adem en de geluiden van de voorwerpen. Dan werden de gordijnen een tint lichter en stroomde er iets weg uit haar vingertoppen. Dan viel ze dankbaar in slaap.

Altijd werd ze gewekt door de telefoon. De eerste keer duurde het even voor ze het apparaat op de grond voor de spiegel ontdekte. Ze rende ernaar toe. Het kon niets anders zijn dan…

Zijn stem: 'Hoe is het gegaan?'

Slaapdronken probeerde ze tot zichzelf te komen. Ze slikte. Ze kamde met haar vingers door haar haren.

'O goed,' bracht ze geeuwend uit. 'Ik sliep nog.'

Hij lachte zachtjes. Waarderend.

'Weet je hoe laat het is?' vroeg hij.

'Nee.'

'Halftwaalf.'

Ze staarde naar zichzelf in de spiegel. (Nog helemaal warm van de slaap. Met dat blozende, dat bedwelmde, dat alleen is aan te treffen bij meisjes. En roze roze roze: haar gezicht, haar nachtjapon, de gelakte, als franje uitgespreide uiteinden van haar voetjes.)

Ze keuvelden wat. Ja, hij was op school. Iedereen had vakantie behalve de rector. Zo was dat altijd. Stomvervelende ouders met hun gezeur, stomvervelende docenten, stomvervelende probleemleerlingen, maar gelukkig was zij er, zijn engel die nu, om halftwaalf, nog niet eens was aangekleed.

'Tot vrijdag,' besloot de rector.

'Tot vrijdag,' murmelde Sonja.

Ze klopte op de deur.

Die man keek haar heel vriendelijk aan. Hij zat achter zijn bureau, maar kwam overeind toen ze op de drempel bleef staan.

Soms is het mogelijk om te overzien. Want in die paar seconden van stilte had ze de regenluchten waargenomen die boven de school hingen en de ramen die dicht zouden en moesten in de klaslokalen waar de jongelui gebogen zaten over hun te ver uitgerekte kindertijd, had ze de warmte geroken die opgesloten zat onder de oksels en in de strakke kruisen van de nog steeds groeiende lichamen terwijl de notities door de ogen naar binnen gingen en de grijze massa's gemodelleerd werden om de grote waarheden, de wiskundige en natuurkundige ontdekkingen – die toch ooit aanleiding hadden gegeven tot diep, extatisch inzicht –, de meesterwerken waaronder *Hamlet*, waaronder *De klucht van de koe*, waaronder *De duivel en god* gevaarloos te laten passeren, had ze die man zien zitten die haar vader had kunnen zijn, maar desondanks aanstalten maakte om naar haar toe te komen...

'Ik houd het niet meer uit,' zei ze tot haar verbazing tegen de rector.

Hij liet haar plaatsnemen, niet aan het bureau, maar bij een teakhouten tafeltje naast een ficus. Voorovergebogen, steunend met zijn armen op zijn knieën nam hij haar aandachtig op.

Ze mocht het hele relaas – de klas uitgestuurd – vertellen. Al die woorden mocht ze wijden aan een incident dat op geen enkele manier invloed zou uitoefenen op de plot van het rampzalige script, op de hulpeloze chronologie die begint met geboorte.

Er viel een stilte waarin ze elkaar openlijk aankeken. Toen barstten ze in lachen uit.

'Die vent is een lul,' zei hij.

Hij gaf haar vuur.

Ze leunde achterover en haar schouders, haar rug, haar keel herinnerden zich het exotische stormpje van geluk, jaren geleden, toen ze bij een verloting een paar schaatsen had gewonnen. Ik? Ja, jij. Nee dat kan niet. Ach jawel, kijk maar.

Ze bespraken de te volgen strategie die neerkwam op laat maar gaan. Gewoon morgen een halfuurtje vroeger op school komen en die overhoring alsnog maken. Iets anders konden

Sonja en de rector niet verzinnen omdat ze er met hun gedachten niet helemaal bij waren.

Pas over drie maanden zou de nacht na dat bepaalde schoolfeest aanbreken. Het was laat geworden. Een paar leerlingen waren nagebleven om te helpen met opruimen. Sonja werd door een bezorgd schoolhoofd thuisgebracht. Op de flat stonden de ramen open. Het was het begin van de zomer. Ze moest drie keer achter elkaar zijn naam zeggen, om te wennen. 'Leo… Leo… Leo…' fluisterde ze later, alleen in haar bed. Haar buik gloeide na. Ja hoor, eindelijk was het zover: Sonja werd door een man bemind. Aan de andere kant van de stad waren ogen, handen, die zich haar herinnerden. Het was wel zeker dat er in het donker een man aan haar lag te denken. Op de rand van de slaap kwamen haar de acht of tien minuten die ze op een voorjaarsochtend in de rectorskamer had doorgebracht voor de geest. Ze besefte dat de eigenlijke onderhandelingen toen hadden plaatsgevonden.

De man met zijn mannengeur, zijn grijze ogen en zijn pak, ook grijs, dat hoorde bij zijn functie, maar zeker niet bij het snel opkomende krankzinnige verlangen, deed voorstellen om het droevige verleden van de scholiere te bewerken. Hij kreeg haar toestemming. De woorden die bij deze overeenkomst werden gebruikt, waren slechts zijdelings van toepassing. Op die regenachtige ochtend kwam het gesprek op haar leven.

Hoewel de toon direct vertrouwelijk was, begon het met wat onbenulligheden. Het schoolonderzoek ging toch goed, betoogde de rector, nog maar een paar maanden, ze zou zeker slagen, hij, ja zeker, had er het grootste respect voor, vooral omdat…

Hij zei: 'Dus nu zijn je beide ouders overleden?'

Eigenlijk klonk het prachtig, vond ze. Ouders, beide ouders, toe maar. Maar hij bedoelde haar moeder.

'U weet ervan?' vroeg ze voorzichtig.

Het bleek dat haar mentor het geval een keer met hem had besproken. Het had zijn verbeelding geprikkeld. (Die dappere Sonja die alleen in de flat was blijven wonen en zo braaf doorstudeerde zonder kopje thee om halfvier.)

Zoals zo vaak na schooltijd voelde ze zich duizelig, licht in haar hoofd. Haar moeder zat aan tafel, de vuisten tegen haar wangen. Voor haar stond de theepot op het lichtje, maar toen Sonja in wilde schenken zat er alleen maar kokend water in.

'Stommerd, ben ik het theezakje vergeten.'

Ze kwam overeind en begon naar de keuken te wankelen. 'Laat maar,' zei Sonja.

Terwijl de thee stond te trekken keek ze naar de handen van haar moeder die beschuiten smeerde. Magere, bevende handen die koppig vasthielden aan de paar gebaren die door de jaren heen de moeite waard waren gebleken. Er moet een tijd zijn geweest, dacht Sonja, dat ze redelijk gelukkig was. Toen een kind opvoeden voor een groot deel samenviel met zachte zelfgebreide kleertjes klaarleggen, met proeven van de lammetjespap, met een elleboog in het kinderbadwater steken, met de armen beschikbaar houden voor het wegkruipen en verschuilen, met vingers die het bespottelijke geld uittellen voor de aankoop van een plastic babyflesje vol roze snoepjes... Vanachter de damp van de thee glimlachte ze naar haar moeder. Te praten viel er niet veel.

'Wat is er gebeurd?'

Ze keek hem wazig aan. Een rooksliert dreef weg voor haar gezicht.

'Met je moeder,' verduidelijkte hij.

'Het was een verkeersongeluk,' zei Sonja. 'Ze is aangereden door een bus.'

Ze wendde haar hoofd af. De rector had de fijngevoeligheid zijn hand op zijn eigen knie te leggen.

...Ze was aan haar schuifelende tred gewend. Al heel lang liep ze zo moeilijk. Het kwam door het zenuwcentrum dat aangetast was. Het syndroom van Korsakov, Sonja had het in de encyclopedie nagelezen. Soms viel ze, zonder enige waarschuwing, ineens voorover. Die middag was Sonja later uit school dan gewoonlijk omdat ze voor de scheikundeleraar met wie ze altijd bonje had een overhoring moest inhalen. Het was december. Er was sneeuw gevallen. Een vrouw was bij het oversteken uitgegleden, precies op de hoek, toen de bus langskwam. Wat had er in die tas gezeten? Hij werd een dag later keurig netjes thuis afgeleverd. Er zaten twee hamburgers in, een pak snelkookmacaroni en tompoezen voor bij de televisie voor Sonja en haar moeder. De heimelijke fles, nog halfvol, vond ze diezelfde avond. Hij stond bij de telefoon, discreet verborgen achter het gordijn. Want in die dingen was ze altijd heel chic geweest.

De telefoon begon te rinkelen.

De rector nam op.

'Ik kom er aan,' zei hij. Zijn stem was zwaar van plichtsbetrachting.

Ze stonden voor de deur. Heel even legde hij zijn hand tegen haar gezicht (hals, wang, oortje, haar).

'Denk eraan', zei hij, 'deze deur staat altijd voor je open.'

In de namiddag voelde ze het opkomen. Ze zat op het bordes en ineens werden haar handen koud. Ze legde haar boek weg. De gele rozen waren begonnen een geur te verspreiden die misselijk maakte. De kastanjes en het gazon donkerden in, alsof er een wolk langzaam voor de zon schoof, maar toen ze haar ogen ophief, bleek de lucht blauw te zijn. Blauw, verlaten en doodstil. Het was het zware uur van de dag waarop de vogels zwijgen.

Ze besefte heel goed dat ze voorzichtig moest zijn. En voorzichtig wilde zeggen flink. Daarom installeerde ze zich op haar buik midden op het grasveld. (Ze strekte haar benen uit in de zon, maar bedekte haar hoofd met een zonnehoed die ook het opengeslagen boek beschaduwde.) In het volgende uur las ze *Call it sleep* uit.

Toen ze opkeek rees het huis voor haar op alsof het van onderaf omhoog was geduwd. De gevel gloeide dieprood. Er ging iets dreigends en spottends van uit, maar Sonja was verstandig en ging gewoon naar binnen. In de keuken at ze brood met kaas en om negen uur trok ze de fluwelen gordijnen van de slaapkamer dicht en stapte in bed.

Zodra het donker was begon de angst. De angst van de buitenstaander. Zij, de kijkende, had weinig deel aan de werkelijkheid van het geschuifel, gezucht, gekraak. Zij, bewoner van een zichtbare wereld, was bang voor het voelen van de dingen, voor het aftasten dat plaatsvond door middel van omtrekken, volumes, substanties. Die eigenzinnigheid van al die absurditeiten om tot haar door te dringen, wat kon dat anders betekenen dan dat ook zij opgemerkt werd? Hoe stil, hoe ademloos ze zich ook hield?

Ze lag op haar rug, haar nutteloze ogen opengesperd. De telefoon? Ze zou niet eens hebben durven opbellen. Al had het toestel naast haar bed gestaan, ze zou het niet hebben gewaagd haar arm uit te strekken naar de hoorn, laat staan haar mensenwoorden te prevelen…

'Denk eraan dat je me niet zomaar opbelt. En vooral nooit, nooit op mijn privé-adres.'

'Maar waarom niet?' had ze gevraagd. 'Je vrouw weet er toch van?'

Zijn vrouw. Ze had haar een keer gezien op het parkeerterrein bij school. Donker haar over een smalle rug die wachtte tot de echtgenoot het portier had opengemaakt.

'Ze zou de directe confrontatie niet kunnen verdragen.'

Sonja wist dat hij niet graag over haar praatte. Om een of andere reden vond ze zijn bezorgdheid voor die fantasievrouw aandoenlijk.

Terwijl de nacht vorderde, slaagde ze erin om onder haar angstvallig bewaken van de zwartheid – een geordende, sterke wereld, geen chaos – zo nu en dan het beeld op te roepen van een slaapkamer in de stad. Straatverlichting viel er naar binnen. In het grote bed sliep een echtpaar. Zij, de vrouw, had lang zwart haar, maar geen gezicht. De man daarentegen kende ze. Als hij toevallig wakker zou worden, vannacht, zou hij weten dat zij zich hier bevond.

2

Ze hadden de gordijnen niet gesloten, de avond tevoren, en nu scheen de zon naar binnen. Een strook vloer en een strook bloembehang werden overbelicht. Het waaide. De kastanje wierp wriemelende schaduwen over het bed.

'Vooruit. We staan op.'

Sonja wilde niet wakker worden. Ze lag bedolven onder tientallen kilo's arm en been en vond het wel goed zo. Ze zuchtte diep. Ze smakte.

'Doe de gordijnen dicht,' zei ze. 'Zo kunnen we niet slapen.'

Maar Leo schoof van haar weg en toen hij het bed uitstapte sloeg hij in één ruk de dekens naar achteren.

Even was Sonja, naakt, uitgespreid, een pissebed wier zware wereld onverhoeds is weggetild. Toen rolde ze zich op haar zij en keek naar hem terwijl hij door de kamer liep. Energiek. Handenwrijvend. Het was duidelijk dat hij van plan was van deze dag iets te maken.

En ook dat vond ze best, dat peinzend nieuwsgierig staren naar de bewegingen van de man die toch maar weer naar haar toe was gekomen, die nu de veters van zijn zomerschoenen zat te strikken zonder te beseffen dat hij op haar mooie zijden broek zat. Was het niet ronduit kinderachtig dat ze zo bang was 's nachts? Dat ze die kleine tijdelijke eenzaamheid niet kon doorstaan?

'Weet je,' zei ze – en hij hief zijn hoofd op bij de trilling in haar stem – 'je hebt er geen idee van hoe heerlijk ik vannacht heb geslapen.'

Zijn hoofd zonk weer.

'Kom er nu maar eens uit,' zei hij.

'Wat zal ik aandoen?' vroeg ze. De zijden broek was uitgesloten, die lag erbij als een prop verbandgaas.

Hij liep naar de kast en inspecteerde haar kleren.

'Waarom lach je?' vroeg hij, omkijkend.

'Je kijkt als een rector die de absentielijsten van de ergste spijbelaars onder ogen krijgt.'

Zorgvuldig koos hij een blauwe rok en een blouse met kant uit. Toen pakte hij de zonnehoed die aan de kastdeur hing en legde alles bij haar voeten op het bed. Het lag er als een offerande aan haar jeugd, haar naaktheid, haar geschiedenis.

'Die hoed kan niet,' zei ze. 'Het waait.'

'Dan hou je hem buiten maar met een hand vast,' besliste hij.

Hij verliet de kamer.

Sonja kleedde zich aan. Haar geluksgevoel kon niet stuk. Ze zette de zonnehoed op en liep naar de spiegel. Ze bestudeerde haar ogen en haar mond. Wat zoekt hij toch? vroeg ze zich af. Wat meent hij te zien? Ze boog zich voorover en sloot haar ogen voor een plechtige kus. Het koele glas drukte haar neus plat.

Ook toen ze in de keuken koffie stond te zetten voelde ze nog een diepe tevredenheid. De buitendeur stond open en ze zag hem op de houten bank tegen de muur zitten, zijn gezicht opgeheven naar de zon. Was alles soms niet volmaakt?

'Wil je een roerei?' riep ze.

'Ja heerlijk. Met twee eieren. En weet je wat, doe het brood in de oven.'

Maar toen ze even later onderweg waren naar het dorp vroeg ze ineens: 'Zeg eens, hoe zit het? Blijven we zo doorgaan?'

Dat was eigenaardig.

Nou slenterden ze toch innig tevreden over een landwegge-tje met toebehoren: braamstruiken en distels die vanuit de berm aanvielen, een groene in- en uitschuivende rups, op het laatste moment ontweken, klokslagen vanuit het dorp, tien, nee elf keer, de wind, de lucht, een opgeschrokken verdwaalde kip die kakelend en telkens achteromkijkend voortholde. Nou voelde ze zijn hand losjes tegen haar nek en herinnerde zich tegelijkertijd – heel dwaas natuurlijk – de bruin-wit geruite jurk die haar moeder voor haar gemaakt had en die ze nooit had wil-len dragen. Nu stelde ze vast dat de rook van een sigaartje in de buitenlucht heel luxe, heel sensueel overkomt en die geur ging volkomen vanzelfsprekend gepaard met de van heel ver terug-gebrachte voldoening rondgereden te worden in een roomwit beklede kinderwagen met twee warme kruikjes in een luik in de bodem. En op de achtergrond van al dat fraais zweefde hoogst-waarschijnlijk ook de bittere zekerheid ooit verwekt te zijn door een man, een vader, zweefde de ontstellende vraag waar-om ze die man, die vader, nooit, niet één keer in de bruine grijze blauwe ogen had kunnen zien... En toen vroeg ze dat opeens.

Hij bleef staan en ze zag dat zijn ogen bezorgd stonden.

'Wat bedoel je?' vroeg hij.

'Nou, die weekendliefde van ons.' En omdat hij niet reageer-de ging ze verder: 'Ik de hele week hier in mijn eentje. En jij in de stad. Zo blijven we altijd vreemden. Waarom zijn we niet echt bij elkaar? We kunnen toch een appartement in de stad hu-ren?'

'God, Sonja, wat is dit nou?'

Hij zei het zachtjes. Ze schrok een beetje. Had zij dit gedaan? Had zij die bedroefdheid opgeroepen?

Heel licht pakte hij haar bij haar schouders en draaide haar om, tegen zijn lichaam aan.

'Kijk,' wees hij.

In de verte, op een kleine groene helling, stond het huis. De zon was nu zover gedraaid dat de voorgevel van opzij belicht werd. Vriendelijk, symmetrisch en bijna doorschijnend wachtte het op hun terugkomst. 'Kijk.' De manier waarop hij het had gezegd was een herhaling. Als bij een stoelendans bezetten twee momenten één plaats. Op een middag hadden ze samen het fotoboek van een reis doorgebladerd en zijn hand had haar steeds de witte gebouwen aangewezen. Kijk, het Parthenon, kijk, het Erechteion met de kariatiden, kijk, de Niketempel. Mooi, hè? Ja, mooi. Maar nu voelde ze zich onbehaaglijk. Het is niet prettig om je minnaar niet te begrijpen. Wat wilde hij haar in godsnaam duidelijk maken?

'Ach,' zei ze weifelend, 'het is nu toch vakantie? We kunnen deze weken toch wel samen doorbrengen? Wat is daarop tegen?'

'Je ziet iets over het hoofd.'

Ze zag iets over het hoofd. Ja, inderdaad. Ze zag de echtgenote over het hoofd die als verschijnsel niet indrukwekkender was dan een van zijn rapportvergaderingen, dan een onderhoudsbeurt van zijn auto.

Ze liepen door.

Hij kon het haar niet aandoen, vertelde hij zachtjes. Ze was, nou ja, ze was nogal labiel. Sonja moest eens weten wat hij soms doormaakte. Nee, als huwelijk stelde het niets meer voor, al twintig jaar lang niet. Maar ze steunde volledig op hem, haar wereld zou instorten. In feite was het zo dat…

Sonja luisterde met knipperende ogen. Dit was taal die haar ziel begreep. Trouw, bekommernis voor een zwak deerniswekkend schepsel, hoe zou ze daaraan willen tornen? Ze boog haar hoofd. Alles was in orde.

Maar de rector vond dat ze stil was. Hij was er niet helemaal gerust op. Daarom begon hij, de classicus, over afwezigheid. Het meest kenmerkende bestanddeel van de liefde, zo betoogde hij, was juist die afwezigheid. Als hij zo'n hele week alleen was, ja Sonja, alleen, dan was ze eigenlijk geen moment uit zijn gedachten.

'Als ik dan zo'n meisje zie,' – ze hadden het dorp bereikt en Leo wees knikkend naar een jong ding in spijkerbroek dat aan de overkant ramen stond te lappen – 'dan denk ik direct aan jou.

Ja, in zekere zin ís zij jou.'

Hij praatte ernstig en langzaam. Sonja, haar ogen dwalend over de gevels van de huizen, de kerk, de apotheek, de sproeiers in de tuinen, het uithangbord van de supermarkt verderop en misschien was het wel verstandig om een paar diepvriespizza's mee te nemen, luisterde verstrooid naar een college over Plato en het onblusbare verlangen naar de verloren wederhelft.

'De liefde is het zoeken naar het schone en het goede. Naar een wijsheid die op deze wereld is uitgesloten. Maar het verlangen is er. En dat verlangen, Sonja,' – zijn stem daalde, zijn mond beroerde haar oor – 'zetelt in mijn kloten en in jouw kut.'

'Hé, wacht even!' riep Sonja en stak hollend over.

Ze stonden voor een bazaar. Een etalage die welgemoed was volgestouwd. Sonja had belangstelling voor het assortiment teken- en schildermaterialen.

'Daar was ik naar op zoek,' zei ze tegen Leo. Ze legde hem uit dat de door-de-weekse dagen volgens haar sneller zouden verlopen als ze wat meer om handen had.

De winkelbediende, een slungel met wit haar, wierp een besmuikte blik op het paar. Ze waren ter plaatse aardig over de tong gegaan. Aan de man met het kalende hoofd had men niet veel woorden verspild, zijn geval was duidelijk. De conclusie over het jonge meisje luidde vrij algemeen: armlastig of niet goed snik.

'Kan ik u helpen?' vroeg het jongmens beleefd.

Ja, Sonja kon geholpen worden. Ze wilde papier, penselen en waterverf. Ook op een doos felgekleurd krijt was ze erg happig. Haar beramende ogen lachten even naar Leo die bij de deur was blijven staan, maar hij leek in gedachten en lachte niet terug.

Voor de supermarkt waren een paar kinderen aan het hinkelen. Geconcentreerd sprongen ze met twee voetjes tegelijk in één vak, dan weer met gespreide voetjes in twee vakken. Ook werd er met een klein voorwerp, een poppetje of beestje, geworpen. Sonja bleef staan kijken. Toen scheurde ze het bruine papier waarin haar aankopen zaten open. Uit de doos met krijt haalde ze het felste rood. Ze gaf het aan een van de meisjes en zei dat het mooi zou zijn om de vakken rood in te kleuren.

'Wat bezielt je?' vroeg Leo.

Iedereen in de straat kende het verschijnsel nu wel: de magere kleine vrouw die onzeker liep, die altijd een licht bedwelmende geur verspreidde, maar ongevaarlijk was. Ze speelde met de kinderen. Ze lachte geheimzinnig, want ze wist waar ze verstopt zaten. Ze keek toe als er een richel tussen de stoeptegels uitgekrabd werd en gaf soms aanwijzingen want knikkeren, o jawel, dat had ze altijd goed gekund. Soms ging ze zover de straat op te komen in haastige schuifelpas, een boek of tijdschriftje in de hand, en met de vinger aan de letters een passage voor te lezen aan een kind dat haar wezenloos maar niet onvriendelijk aanstaarde.

Op een dag kwam Sonja uit school. Al vanuit de verte zag ze haar moeder op de stoep zitten. Niets ongewoons. Het was een zonnige middag geweest en heel wat kinderen zaten of hurkten op de tegels die warmte uitstraalden. Haar moeder hield een stuk krijt in haar hand en was bezig de vakken van een hinkelbaan rood in te kleuren. Twee dikke blonde meisjes keken tevreden toe. Ze woonden hier nog maar pas en onderwierpen zich maar al te graag aan de gewoonten van de straat.

Ze droeg een jurk met allemaal bonte bloemetjes en had het haar opgestoken. Sonja keek naar de licht gebruinde nek en op de een of andere manier was daar iets gelukkigs, iets vrolijks mee.

Ineens was er een heel kabaal. Een vrouw was uit een huis te voorschijn gekomen en stak roepend over. Zorgvuldig uitgekozen namen schalden over straat. 'Claudia! Tamara!' Iedereen keek op. Iedereen zag dat de meisjes mee naar huis moesten, dat ze in bescherming moesten worden genomen en iedereen hoorde dat hun op pertinente toon werd gezegd: 'Ik verbied jullie met die dronken sloerie om te gaan!'

Haar moeder was op haar knieën overeind gekomen. Ze keek gekwetst en verbaasd. Toen zag ze Sonja. 'Dronken sloerie... dronken sloerie...!' sputterde ze. Sonja wist dat dat het ergste was. Van nu af aan was het waar. Iedereen had het gehoord.

De boodschappen waren gedaan. Leo hield met één hand het lekkere warme brood vast, de andere lag op haar schouder.

Ze praatten zachtjes.

'Dus ze kon niet over zijn dood heen komen?'

'Zijn dood?'

Sonja bleef stilstaan. Dit was een misverstand. 'Hij' was misschien dood, 'hij' was misschien niet dood. Een dergelijke intimiteit zou ze over haar vader niet te weten komen.

Ze zei: 'Misschien was ze minder ongelukkig geweest als hij gewoon fatsoenlijk dood was gegaan. Maar hij ging weg. Hij nam de benen.'

Ze liepen door. De laatste boerderij van het dorp verscheen. Eieren en jonge kaas te koop.

'Herinner je je hem?'

'Nee.'

'Hoe oud was je?'

Ze sloeg haar ogen neer.

'Vijf maanden.'

Ja toch? Was het niet zo dat in sommige culturen de leeftijd van een mens berekend wordt vanaf het moment van verwekking? Heel wijs. Ze was vijf maanden. Ze was niets.

Sonja slikte. Ze had helemaal geen zin in verdriet. Ach, zulke geschiedenissen waren toch zo oud als de wereld? Overal vertrokken mensen, namen afscheid en keerden niet op hun schreden terug. Afwezigheid. Hadden ze het daar al niet over gehad? Welnu, haar moeder en zij waren heus niet de enigen die moesten leven met het soort afwezigheid waar geen verlangen meer aan te pas kwam. Weg is weg, en afwezigheid kan tastbaar zijn. Zo tastbaar en verstikkend als de angst 's nachts in het donker, alleen in een afgelegen villa. Die angst was trouwens eigenaardig. Had ze daar thuis soms last van gehad?

Ze heeft de kamerdeur opengezet en de plafondlamp aangedaan. Maar ze moet slapen. Als ze met haar hand over het warme laken glijdt, voelt alles weer bijna bekend aan. Omdat het zo hoort als je gaat slapen knijpt ze haar ogen stijf dicht... Wat is dat nou, Sonja? Het gezicht van haar moeder, onderzoekend, bedaard. Dieren? Nu worden de hoeken van haar kamer bekeken, zelfs onder het bed en in de kast speuren zorgvuldige ogen. Ga maar slapen, er zijn geen dieren. Het lukt aardig, de stilte klinkt tamelijk gewoon, maar het is beter om voor de zekerheid... Wat heb je vanavond, Sonja? Ze zegt: 'Maar misschien maken ze een gat en komen toch.' Nee, nee, dat doen ze niet. O, dan is het goed. Het licht gaat uit, de deur blijft op een kier staan. Ze doet haar ogen dicht en valt direct in slaap. Ze is vier jaar.

Ze duwde haar hoofd tegen zijn schouder. Soms wordt er op een grandioze wijze iets goedgemaakt. Nu liep ze naast deze man. In een zachtaardig dorp dat eieren en kaas aanbood. Zon. Zijn hand op haar schouder. Ze voelde dat hij haar wilde opvrolijken. Ja hoor, daar gebaarde hij al: 'Moet je kijken!'

Nou, het was inderdaad schattig. Opzij van het boerenerf speelden een stel dikpotige hondjes. Ze gromden, beten en duwden. Een jongen van een jaar of twintig die in de schuuropening een paard stond af te sproeien zei dat ze best dichterbij mochten komen. Dat deden ze.

'Vindt zij dat wel goed?' vroeg Sonja, wijzend op de moederhond die hen zonder haar kop van de grond te tillen met haar ogen in de gaten hield.

Nee, dat was geen probleem. De jongen kwam naderbij. Hij vertelde dat het vuilnisbakkehondjes waren en dat ze over twee weken weg mochten. Onder het praten keek hij Sonja recht in de ogen, maar Leo werd genegeerd.

'Ik heb er nog een weg te geven. Als je wilt mag jij hem.'

Sonja's aandacht werd getrokken door een zwarte hond die in een golfplaten hok lag. Zijn blik rustte op de hondjes. Op een vreemde ingekeerde manier, vond Sonja.

'Hé, wat zielig!' riep ze. 'Waarom zit hij opgesloten?'

'Dat is de vader. Het is niet veilig om hem nu los te laten.'

'Niet veilig?'

'Hij is jaloers. Hij zou ze doodbijten als hij de kans kreeg.'

Leo vertoonde tekenen van ongeduld. Hij liep alvast terug naar het hek.

'Ik ga nadenken,' zei Sonja tegen de jongen. 'Over het hondje.'

Ze liep op een drafje weg.

Terug op het pad door de velden dacht ze zo nu en dan nog even aan de gele, geobsedeerde ogen van de hond: een vaag medelijden trok door haar heen terwijl ze voelde dat Leo zijn hand steeds zwaarder op haar schouder liet rusten. Het leek of hij haar voortduwde.

3

De maandag begon met regen.

Sonja werd erdoor gewekt. Vroeger dan anders. En met een omvangrijker gevoel van opluchting dan anders. De nacht was voorbij en er viel doodgewone regen. Ze luisterde. Alles klonk helder, fris, teder. Ze zag een schilderij van geluid: op de voorgrond, direct achter het open raam, was er het kletterend overlopen van een dakgoot, daarachter een partij strenge tikken op de bladeren van de kastanje en dan een egale, gepointilleerde achtergrond van geruis op het gras. Ze strekte zich uit. Geluk, dacht ze, dat is moeilijk, daar moet je voor gestudeerd hebben, maar deze opluchting, het gevoel dat alles in orde is...

In de keuken maakte ze een enorm ontbijt klaar, eieren, worstjes, toast, koffie. Ontbijt was de enige maaltijd die haar zinde als ze alleen was. Toen ze de deur opengooide om brood voor de vogels te strooien, merkte ze dat het alleen nog maar een beetje naregende. Boven het eikenbos in de verte stond een regenboog, zo bont als ze nog nooit gezien had. Het landschap was ingrijpend herzien. Doorschijnend en ijl waren nu de velden en de bomen, massief was de donkerpaarse lucht.

Ze ademde diep in. Alles deed mee aan haar opluchting: het schoongewassen grind, de vrijgekomen kieren tussen de tegels van het plaatsje, een kraai die aan haar voeten landde, haar met een nijdig oog bezag en wegvloog zonder iets van het brood te pakken.

De telefoon ging. Ze holde naar binnen. Hij was verrast toen ze vertelde allang op te zijn en bovendien aangekleed. Hij wilde weten wat ze aan had en tot haar verbazing loog ze (spijkerbroek, geruite blouse, sandalen). Wat ze aan het doen was? O, niets. Vogels voeren (Sonja voerde de vogels). Tot vrijdag. Tot vrijdag.

's Middags was het heet. Al het water was verzwolgen. Waardoor? Niet door het korstige land dat rook naar as. Niet door de beuken aan de rand van het grasveld met hun ondergroei van varens, rododendrons en braam. Niet door het groepje kinderen dat vanuit het dorp op weg was gegaan om de kruisbessen te plukken uit een verwaarloosde tuin.

Met haar hoofd op een kussentje staarde ze tussen de beuke-

bladeren door de onbewolkte leegte in. Niets drong tot haar
door behalve de hitte op haar benen en haar buik. Wat moest ze
met een dergelijk verlangen? Was er een hopelozer tijdstip
denkbaar dan maandagmiddag twee uur? Hier lag zij, met
zweetdruppeltjes op de zijkanten van haar neus en honderd-
vijftig kilometer verderop zat een man aan zijn bureau of op een
tuinstoel bij een depressieve vrouw. Hij had bepaald dat de
weekdagen een kloof moesten vormen tussen twee rotspunten.
Dat op die rotspunten zich hun leven zou afspelen. Maar niets
voor niets. Alleen als je de kloof helemaal opvulde kon je doorlopen. De leegte opvullen, waarmee? Met verbeelding. Met
verlangen.

Ze wreef over haar enkel. Een mier tuimelde in het gras. Ze
had met genoegen vier dagen van haar leven willen geven om...

Plotseling klonk er een zeurderige stem: 'Hoe heet jij?'

Verbijsterd keek ze op. Het blonde hoofd van een kind staarde haar vanuit de braamstruiken onverzettelijk aan. Tegen de
gebronsde huid staken de wenkbrauwen bijna lichtgevend af.

Het kind herhaalde zijn vraag, waarbij het een hoge klem-
toon legde op 'heet' en daarna 'jij' heel diep liet zakken. Hoe is
het mogelijk dat uit zoiets lieflijks een dergelijk geluid komt?

Sonja besloot niet op de vraag in te gaan.

'Mogen wij bessen plukken?'

Dezelfde deun, nu met de nadruk op 'bessen'.

'Ja.'

Het hoofd verdween. Sonja hoorde geritsel en gefluister in
de struiken en even later holde een troepje van vijf, zes kinderen
het poortje van de moestuin in.

Ze zonk terug en rolde zich op haar buik. Ze legde haar wang
op haar arm. Haar huid smaakte zout. Hoe heet jij, hoe heet jij.
Kleine brutale aap. Ik heet Sonja en verder niets. Geen overbo-
dige vragen, dames en heren. Op de diverse formulieren blijft
mijn echte naam oningevuld.

Op dinsdag begon ze te tekenen.

Toen ze de gordijnen openschoof zag ze de regen. Het was
een andere regen dan de dag tevoren. Deze was serieus en niet
van zins onopgemerkt te verdwijnen. Een lauwe geur van verbinding en verrotting waaide haar tegemoet. Ze rilde en sloot

het raam. Zij en het huis waren bedekt met een grijze sluier.

Op de vloer, naast haar schoenen, lag het opengescheurde pak met haar aankopen. Ze begon met grauw papier en krijt: materie die heel geschikt bleek om de eigenaardigheid van het blauwe tapijt, het bed en haar eigen kleurloze ineengedoken schim in de spiegel aan te duiden. Geschikt ook om het trappe-huis met de nodige terughouding te benaderen, want het ging niet in de eerste plaats om de logheid en het gewicht van de ste-nen muren en het hout, de ernst zat hem vooral in wat zich door de kieren en in de hoeken kenbaar maakte, schemerig, steels, niet beschikbaar om te worden gebrutaliseerd of opgejaagd. Dan de keuken. Wat is er nou rondborstiger en meelevender dan die verzameling lepels en pannen, de plastic emmers en teil-tjes, het grijs geëmailleerde fornuis? Toch was er iets met het aangesneden brood, de pot met thee, de half afgeschilde citroen op tafel, er zweefde iets weemoedigs omheen, om al de dingen die een mens moet gebruiken en die stilletjes, bescheiden, inza-ge geven in de feiten van het menselijk leven…

Opeens stond ze in de serre. Ze was er helemaal niet meer geweest. Ze herkende het lofwerk van het plafond, de ijzeren staaf die uitmondde in een haak en de bos korenbloemen die, inderdaad, blauw waren gebleven. Teer, onschuldig blauw. 'Een keurig nette man, meneer,' dat was alles wat ze van hem wist. Meer dan niets.

Ze pakte een vel papier, dwaalde met haar hand boven het krijt en begon de korenbloemen te tekenen.

Woensdag. Ze zette de ramen open, de keukendeur en ook de glazen deuren naar het terras met de rozen. Daarna pakte ze haar tekenboek en liep het trapje af naar de tuin. Het was warm. Recht tegenover het huis stond nog de marmeren sokkel waar-op ooit een cupido of een tuinvaas met fuchsia's moest hebben gestaan. Daar ging ze zitten. Even schoot de gedachte aan Leo door haar heen en wat hij op dit moment zou doen. (Toen schoof ze haar zonnehoed naar achteren, kruiste haar enkels, spreidde haar knieën en begon de achtergevel van het huis te tekenen.) De voortdurende op- en neergaande beweging waar-mee haar blik zich verdeelde tussen het huis en het papier leek een trage, maar hartgrondige instemming: ja, ja, ja!

Voorzichtig liep ze over het pad. Voetje voor voetje. Haar hand schoof over het papier. Met ernstige ogen tastte ze de vorm van het geboomte af, de schakeringen groen en bruin, de lichtval op de open plekken en de aandoenlijke manier – zoals je ook steeds weer ziet op zeventiende-eeuwse schilderijen – waarop een partij wolken de contouren van het bos imiteert.

Voetje voor voetje... Zo liepen ze, zo keken ze naar de eiken en de beuken die felle kleuren vertoonden. Een enkel blad viel al naar beneden. In oktober is het Lange Voorhout op zijn mooist. En haar moeder was elegant, al liep ze zo voorzichtig. Ze droeg een cyclaamrode mantel en steunde licht op de arm van haar dochter. Die had haar de hele dag al plezier gedaan. Die had haar niet alleen meegenomen naar die mooie deftige laan, naar de middagzon, maar deed op het moment dat de bodega De Posthoorn in zicht kwam het volgende voorstel: 'Laten we een borrel gaan drinken.'

Een borrel. Dat had ze gezegd. Doodgewoon, zoals je dat als vrouwen onder elkaar best kunt doen. En haar moeder lachte, op een geweldig vrolijke manier, je kon zo de zorgen uit haar ogen zien verdwijnen.

De deur bonsde achter hen dicht.

Ze zaten naast de leestafel. Een ober met een zwart vest aan bracht hen de jenever en boog daarbij vanuit de heupen.

'De bediening is hier altijd heel goed geweest,' zei haar moeder en begon behoedzaam te drinken, haar ogen dwalend door het kunstenaarscafé dat in achttien jaar niet zoveel veranderd was.

Boven de linnenkast op de overloop hing een kleine naaktstudie in sepia. Een vrouw met donker haar, op de rug gezien, die enigszins afgewend tegen een kussen aan zat. Haar moeder.

Was hij een goed kunstenaar geweest? Uit de verbleekte tekening viel dat niet op te maken. Wel was te zien dat hij haar smalle rug mooi had gevonden. Hij had hem een beetje overdreven, een beetje langer gemaakt.

Dagelijks was ze er langsgelopen. Ze keek er zelden naar. En haar moeder scheen haar helemaal vergeten te zijn. Misschien was die tekening daar alleen maar blijven hangen omdat iemand haar ooit zo onbereikbaar hoog had opgeprikt. Maar die studie was het enige dat er bij hen thuis nog van hem restte. Geen foto's. Geen brieven. Geen naam. Ook geen toespelingen.

Als ze die leraar tijdens de les wat vaker in de ogen gekeken zou hebben, als de vorst dat jaar niet zo vroeg was ingevallen, als er bij de halte Zuiderpark wat meer passagiers waren geweest, zouden ze dan, na die ene keer, vaker over hem hebben gepraat?

'Waar is hij naar toe gegaan?' vroeg Sonja.

'O, naar het buitenland.'

Haar moeder zei het achteloos. Ze strekte haar hand heel kalm, heel trefzeker uit en in haar ogen was nog steeds geen spoor van zorgen.

Sonja staarde haar aan.

'Maar waarom?' vroeg ze.

'Waarom?'

'Waarom ging hij weg?'

Haar moeder haalde de schouders op. Ze dronk.

'Ach,' zei ze, 'je kent die types wel. Ongelukkige jeugd gehad. Geen aandacht, geen liefde. Een vader die hem mishandelde, een moeder die neurotisch was. En dan ineens een paar jaar, tot zijn twaalfde geloof ik, in een kindertehuis aan zee. Op sommige bezoekuren zag hij zijn vader over het strand aan komen lopen, terwijl zijn moeder ondertussen door het mulle zand van het duinpad verdween. Ach Sonja, je kent die types wel,' – ze keek op met een snelle blik, vond de ober en wees met twee gespreide vingers omlaag naar de lege glaasjes – 'ze geloven niet in het leven.'

Was dit een antwoord vroeg Sonja zich af. Nee, dit was helemaal geen antwoord. In de eerste plaats kende ze die types niet en in de tweede plaats...

'Waarom ging hij weg?' herhaalde ze.

Nieuwe, bedauwde glaasjes werden voor hen neergezet. Sonja keek naar haar moeder die met een argeloze glimlach in haar tasje begon te rommelen, waarschijnlijk op zoek naar haar sigaretten. Daar vond ze ze. Ze legde het pakje en de aansteker voor zich op tafel. Toen kreeg Sonja het geval te horen van de man die onder geen beding een kind wilde. Wanneer erover werd gepraat – en dat gebeurde aanvankelijk heel vaak, de vrouw hield van kinderen – voerde hij soms aan dat deze wereld niet geschikt was. Dat ieder uilskuiken dat kon zien. Te dreigend en te hard. Andere keren was hij van mening dat hij zijn vrouw, zijn minnares, niet wilde zien veranderen in een moeder. Dat hij haar met niemand wilde delen.

'Goeie god,' zei haar moeder, spelend met haar sigaretten zonder er een op te steken, 'wat was hij daar beslist in. Of ik het goed begrepen had. Ik kon kiezen of delen: als ik het zover zou laten komen, was hij vertrokken. Dus…'

Ze aarzelde.

'Nou?' vroeg Sonja.

Maar ze hoefde eigenlijk al niet meer te luisteren naar wat haar op afstandelijk verhalende toon werd uitgelegd. Dat haar moeder, toen het eenmaal zover was, er bepaald niet op zat te vlassen hem zo één, twee, drie op de hoogte te stellen. Logisch. Maar ja, tegen de vierde of vijfde maand kan een vrouw dat soort dingen niet zo gemakkelijk meer voor zich houden.

Ze sperde haar ogen open en keek Sonja licht verbaasd aan. Toen vervolgde ze op dezelfde toon: 'Zeg weet je wat? We bestellen een garnituur. Kaas, bitterballen, mosterd. Doen?'

Sonja knikte woordeloos. Ja, iets eten. Ze had honger. Ze voelde zich duizelig.

Er restte nog één vraag. Terwijl haar moeder een sigaret opstak wikte en woog Sonja. Hun bestelling werd gebracht.

Ze vroeg: 'Voor… voor dat gebeurde, waren jullie gelukkig met elkaar?'

Ze kreeg een vreselijk antwoord.

'Ja, heel gelukkig.'

Haar moeder pakte het glas en lachte meisjesachtig. Sonja brandde haar mond.

De middag vorderde. Moeder en dochter werden behoorlijk teut. Wie gooide uiteindelijk de bloemen om? Waarschijnlijk de moeder. Het waren duizendschonen, een beetje topzwaar, en ze vielen op de grond. Het water verdween in het Perzisch tafelkleedje.

'O jee,' zei Sonja en was de ober voor die op hen af kwam met een witte doek.

Gehurkt op de grond keek ze naar hem op, de bloemen in haar hand.

'Laat u maar,' zei ze. 'Het is mijn schuld.'

Zoals ze werd aangetrokken door de serre. Op de grond, met de rug tegen de muur, voelde ze het zonlicht opschuiven, lekker warm over haar voeten, haar knieën, en dan omhoog tot de achthoekige ruimte helemaal verzadigd was. De korenbloemen hingen nu ver boven haar hoofd en waren nog blauwer dan gisteren. Arme drommel, dacht ze, wat heb ik met je te maken?

Ze bleef tekenen tot het te donker werd. Tot al het papier opgebruikt was en haar handen blauw waren van het krijt. Toen was ze helemaal omgeven door korenbloemen, een veld vol, en nadat ze in bed was gestapt viel ze direct in slaap en droomde – Sonja, simpele ziel – gewoon door waar ze gebleven was.

Die donderdag deden haar vingers pijn. Haar nagels waren donker verkleurd. Beter om vandaag door te gaan met verf en penseel. Ze ging naar het dorp om papier bij te kopen.

'Hé, neem je hem nou?'

De jongen was weer bezig met het paard. Deze keer werden de manen van het dier zorgvuldig – zoals je ook wel ziet bij Surinaamse meisjes – in strengen gevlochten en afgebonden met rode koordjes.

Ze liep het erf op.

'Ik weet het nog niet.'

Ze hurkten bij de hondjes neer. De jongen pakte er een op en duwde hem haar in de armen.

'Hij is erg lief,' zei hij.

Met het hondelichaam tegen zich aan begon ze heen en weer te lopen. Het dier keek haar onbevangen en geïnteresseerd aan. Zijn flaporen hingen ver naar voren langs zijn kop. Ze was verbaasd dat zo'n stevig hondje zo licht was.

'Maar hij heeft dikke poten,' zei ze. 'Dat betekent dat hij groot wordt.'

Ze keek van het hondje naar de jongen, naar de voortbrommende trekker op het veld naast de boerderij. Het was het kalme, het doodgewone van het spektakel dat haar op slag deed besluiten. Die jongen, een leeftijdgenoot, had zijn hele leven al afgerond om zich heen! Als een jas die bij de schouders wordt opengehouden. Zijn boerderij, zijn dieren, zijn vader die op het land de voren zou blijven trekken totdat hij zover was om hem af te lossen. En uit die rijkdom, uit dat uitgelezen continuum, werd een warm zacht hondje afgestaan en haar in de armen geduwd.

'Goed,' zei ze. 'Ik kom hem maandag halen.'

Ze bleven nog even napraten. De jongen had net als zij deze zomer eindexamen gedaan. Beiden vonden dat biologie zwaar was geweest. Ze kregen het over wat ze zouden doen straks, als de zomer voorbij was. Sonja wist het nog niet.

'En jij?' vroeg ze.

De jongen had zich ingeschreven in Leiden, aan de faculteit voor Chinese taal- en letterkunde.

Die avond zat ze met opgetrokken knieën voor een vuurtje dat ze in de schouw had aangelegd. Ze had er niet veel werk van gemaakt, het vuurtje was maar een gebaar, een inhaalmanoeuvre. Een uur geleden had ze de verbijsterende ontdekking gedaan dat ze vergeten was dat het morgen vrijdag was.

Wat had ze hem te bieden?

(Ze staarde in de vlammen.) Lukraak bijeengejaagde beelden doemden op. Hoe zijn ogen zich versmalden als hij haar in de aula tegenkwam, hoe hij haar na het stencillen van de schoolkrant in haar jas hielp en haar de indruk gaf haar helemaal te omsluiten met zijn armen en zijn leven, hoe hij een keer na een bespreking met de leerlingenraad heel terloops, heel onderworpen, de zijkant van haar borst had gestreeld en zij daarna met gebogen hoofd, op de rand van tranen, door de stad was gefietst, hoe lang nog, hoe lang viel dit in godsnaam nog vol te houden…

Begon ze hem nu niet te missen?

Buiten was het donker. Het vuur was bijna uit. Aan de stilte, aan de roerloze meubels was niets beangstigends. Ze kwam geeuwend overeind. Morgen zou ze eens een paar zelfportretten proberen. Om hem plezier te doen.

Het weekeinde was aangebroken.

Ze spreidde de tekeningen voor hem uit. Op haar hurken gezeten, bedekte ze de hele vloer met van tevoren zorgvuldig geselecteerd werk. Ze wilde zijn goedkeuring.

Terwijl haar arm traag bewoog en ze zonder overeind te komen telkens wat opschoof, verloor ze de zandbleke broekspijpen en de wijd uiteengeplante sandalen geen moment uit het oog. De geur van zijn sigaar hing om haar heen.

Ze had hem toestemming gegeven een tekening voor zichzelf uit te zoeken. Keuze genoeg. Er waren de bomenlanen die niets anders betekenden dan voetje voor voetje; er waren verschillende versies van de korenbloemen die geen van alle bezwering of vormgeving van de angst betekenden, maar verzoening, overgave, het soort handdruk en glimlach dat men wisselt onder verwanten; er was een hele serie zelfportretten in wazige inkt die alle liefde betekenden en er was de hoog oprijzende gevel van het huis, gezien vanuit de tuin.

Om onduidelijke redenen was ze nerveus. Ze verbood zichzelf op te kijken.

'Kies!' beval ze.

Hij koos het huis.

4

Een kleine week ging voorbij. Het was donderdagochtend. Sonja was aan het werk in de serre. Haar broek zat onder de verfvlekken, ook haar handen en haar neus waren smoezelig. Dat ze magerder was geworden en dat er onder de ogen blauwe kringen lagen, kwam niet door gebrek aan slaap. Sinds enige tijd hielden de nachtelijke geluiden haar niet meer wakker. Ze was eraan gewend geraakt.

De serre lag op het westen en het licht was er op dit tijdstip van de dag ideaal. Aan de wanden en op de vloer was het thema te zien dat haar al enkele dagen bezighield: vrouw met hond.

Haar ogen toeknijpend, het hoofd beurtelings naar links of naar rechts opzij buigend, omlijnde ze de vlek van een mond. Toen de telefoon ging moest ze rennen, ze hoorde het hondje slippend over het parket achter zich aan komen.

Zijn stem kondigde haar aan dat hij een dag eerder kwam. Vanavond al.

'Jeetje,' zei Sonja. En daarna, haastig: 'Goh wat leuk!'

Maar hij had al opgehangen.

's Middags nam ze een douche en deed schone kleren aan. Daarna ging ze naar het dorp om in verband met de gastvrijheid boodschappen te doen. Enigszins buiten adem kwam ze weer thuis want op de terugweg had ze zowel drie flessen witte wijn als het hondje, dat plotseling weigerde nog een poot te verzetten, moeten dragen.

Het grind knerpte toen de auto op het huis af reed en naast de keuken stopte. Op het moment dat Leo uitstapte, begon het hondje luid te keffen. Sonja lachte verrast, het was voor het eerst dat hij haar erf bewaakte.

'Wat is dat?' vroeg hij toen ze met het dier op de arm hem met de andere arm omhelsde. Zijn gezicht stond korzelig. Ja, gaf hij toe, het was druk geweest op de weg.

Dat was beslist geen liefde op het eerste gezicht, tussen de rector en het hondje. Terwijl Sonja de heerlijke aardbeientaart aansneed, bekeken die twee elkaar tersluiks. Met afkeer.

De hond mocht de taartvork aflikken.

'God Sonja, dat is toch ontzettend lastig,' zei hij, 'zo'n beest?'

Ze keek op.

'Lastig? Hoe bedoel je? Voor wie?'

Die nacht vond ze het bed te krap. Ze had behoefte aan ruimte. Leo, die een beetje verkouden was, haalde hoorbaar adem. Het benauwde haar. Hij had niet gewild dat het raam openging en nu miste ze de geur van de kastanje. Ze voelde zich opgesloten. Op de rand van de slaap verbaasde ze zich over het zachte gekuch, geschuifel, geritsel in de kamer. De geluiden bleven meestal achterwege als Leo er was.

Het stommelen werd duidelijker. Stopte vlak bij haar bed. Ze hield haar adem in. Toen pas begreep ze het. Ze sloeg de deken open.

'Kom maar bij Sonja,' fluisterde ze.

Het waren dezelfde woorden die ze op een winteravond, meer dan veertien jaar geleden, al eens gezegd had. De verwarming deed het niet. De bedwelming van de drank was nog niet ontdekt. Radeloosheid. In de zijkamer sliep een dochtertje. Warm, vol overgave, maar altijd direct wakker wanneer haar kamerdeur werd opengedaan.

Haar moeder stapte bij haar in bed. Licht, zacht en mager als een veulen.

Toen opeens, met dat broze lichaam in haar armen, begreep

77

ze alles – waarom ze naar de villa was gekomen, waarom er aan haar oor zacht, dom gesnurkt werd, waarom de duistere geluiden en bewegingen eindelijk tot rust waren gekomen. Ze sloot haar ogen. Stilte. De kalme ademhaling van twee slapende mensen. Onkwetsbaar voor de vrieskou van de wereld.

'Om je de waarheid te zeggen, ik moet aan het eind van de middig alweer weg.'

Hij stond op de ladder, bezig met het opbinden van de clematis, en keek verontschuldigend naar haar omlaag. Maar Sonja was ruimhartig. Zorgzaam hield ze de ladder vast want de clematis ontsproot op een onhandige plek, vlak naast het putje van de gootsteenafvoer. Niets aan te doen, vond ze, volgende keer beter.

Nu hadden ze nog maar een paar uur. Misschien toch wel leuk om dan samen op het terras in de zon nog een glas wijn te drinken. Sonja stelde het voor en Leo ontkurkte de fles zo vlot dat het knalde.

De licht mousserende wijn steeg haar meteen naar het hoofd. Ze voelde zich magnifiek. De gaai of kraai die met veel misbaar uit de struiken opvloog en landde op de marmeren sokkel, kon zich niet vrijer, niet getalenteerder, niet beter op zijn plaats voelen dan zij op dit moment. Ze vroeg hem waarom hij toch zo'n haast had te vertrekken.

'Ach…' Hij haalde geïrriteerd de schouders op.

Maar toen zij hem bleef aankijken kwam hij ermee voor de draad. Ze waren morgen vijfentwintig jaar getrouwd. Haar ouders stelden er prijs op dat met hen te vieren, heel simpel hoor, met een etentje in Auberge Gijs te Sassenheim.

Ze begon te lachen. Zoals hij het zei, bedremmeld, bijna blozend. Ze wees op haar lege glas en gehoorzaam reikte hij naar de fles.

'Vijfentwintig jaar getrouwd,' herhaalde ze. 'Nou nou. Een etentje met de schoonouders. En verder? Wat een kale bedoening. Waarom hebben jullie geen kinderen? Een zilveren bruiloft met de ouders. Dat hoort niet. Jullie kinderen zouden een lied voor jullie gemaakt hebben, op de wijs van toen onze mop een mopje was met leuke toepasselijke teksten, ze zouden een quiz verzonnen hebben en je dochter zou een sneeuwbaldans met jou begonnen zijn, op blote voeten maar met prachtig opgemaakte ogen, en je jongste zoon, een brutale vlegel met krullend haar, zou in een toespraak de hele familie erdoor gehaald hebben, zonder dat ze er erg in hadden natuurlijk, al die ooms en tantes met corsages van fresia's die aan de lange tafels zaten te glunderen...'

Ze hief haar glas en dronk: 'Nou, op de volgende vijfentwintig jaar dan maar.'

Hij vond het helemaal niet leuk, dat kon ze wel zien. Met gefronst gezicht staarde hij tussen zijn knieën door naar de tegels van het terras waar in de richels een zwarte stroom mieren glinsterde. De spieren van zijn kaken spanden en ontspanden zich. Een man in zorgen. En ja: daar kwam de onthulling, 'Zij' kon ze niet krijgen. 'Zij' was onvruchtbaar. Ach, dacht Sonja nevelig, wat zou het arme fantasievrouwtje toebedacht zijn? Een gekantelde baarmoeder, dichtgeslibde eileiders, gestoorde werking van het ovarium, een vleesboom, overdreven psychische fixatie?

Hij keek gekwetst op.

'Wat valt er te lachen?'

Impulsief boog ze zich naar hem toe en sloeg haar armen om hem heen.

'Zal ik je een kind schenken?' prevelde ze aan zijn oor.

O, wat voelde ze hem verstrakken! Zoals zijn gezicht betrok. Zoals hij achteruitschoof. Gebeten door de slang.

Hij pakte haar bij haar arm, vlak achter haar hand.

'Au, je doet me pijn!' riep ze.

'Als je me dat flikt!' zei hij, haar vast aankijkend.

Ze wreef haar pols. Goed, goed, ze zei al niets meer. Nieuwsgierig staarde ze naar het rectorshoofd. De zon had het wat gebruind en het pigment ongelijk verdeeld. Hemeltjelief, had hij vaker zo naar haar gekeken? Zo ijskoud, zo voorwerelds, zo bang ook – ze zou het prettig vinden als hij een sigaartje opstak – ja, misschien wel, een enkele keer, als ze er niet op lette.

'Je zou niet zo naar me moeten kijken,' zei ze.

'Hoe bedoel je?'

'Als een kaaiman.' Ze dacht even na en voegde er nog aan toe: 'Of als een basilisk.'

Geërgerd stond hij op. Zijn stoel kraakte.

'Je hebt te veel gedronken.'

Achter haar langs verdween hij in het huis.

De zon draaide naar het westen. Vanachter de beuken werden stralenbundels op het huis gericht. De gevel begon de warmte van de dag terug te kaatsen. Boven sloeg met een plof zonder nagalm een deur dicht.

Sonja, in haar rieten stoel, op dat kruispunt van licht en warmte, voelde zich inderdaad vreemd. Dronken? Misschien. Misschien moest je die lichtheid, die verrukkelijke eenzaamheid – een toneel waarop je elk woord kunt zeggen, elk gebaar kunt maken, en het publiek heeft maar te kijken en te klappen – wel dronkenschap noemen.

Kijkend op zijn horloge kwam hij naar buiten. Grijs zomerpak. Zwart koffertje.

'Wacht, ik zwaai je uit,' riep ze, overeind komend.

Ze was nog steeds niet in de gratie, dat voelde ze wel terwijl ze naast elkaar naar de auto liepen. Toch kuste hij haar op haar mond voor hij instapte en mompelde: 'Tot vrijdag.' Voor de auto uit liep ze naar het hek en maakte het open. Met een blafje van de claxon draaide hij de weg op. Ze zwaaide en keek de auto na. (Hopelijk is daar het laatste woord over gezegd. Wat een verdomd gezeur. Altijd hetzelfde. Te veel gedronken en dan gaan bazelen. Kleine sloerie... kleine dronken sloerie...!)

Ze sloot alle ramen en deuren. Van haar tekeningen zocht ze er een stuk of tien uit die ze oprolde en met een elastiek samenbond. De rest legde ze op een stapel in de haard. Het duurde even voor ze de halsband van het hondje vond, hij was van de kapstok in een van haar laarzen gegleden. Toen liep ze naar de telefoon en bestelde een taxi over een halfuur. Zoals dat altijd gaat, was haar koffer nu ze vertrok veel voller dan bij aankomst. Er was geen plaats meer voor een blauwe rok en een blouse met kant. Ook de zonnehoed liet zij hangen.

ROBINSON CRUSOE

De glazen wand was nog niet opengezoefd of de hitte sloeg hem
tegemoet. Overrompeld bleef hij staan. Het was de tweede
week van mei en aan de overkant stond een kastanje donker-
rood in bloei.

'Oké Noes, trek je mooie trui maar uit,' zei hij tegen zichzelf.

Dat hadden ze hem in het souterrain weleens mogen vertellen. 'Mooi weertje,' hadden ze kunnen zeggen. 'Strakblauwe
lucht, jongen!' Dat soort informatie behoorden de employés
onder elkaar toch wel uit te wisselen. Hans van de garderobe
was tussen de middag beneden geweest om een cadeautje dat hij
tweedehands gekocht had, door hem te laten inpakken. 'Weinig jassen vandaag aan te nemen, Noes,' had hij kunnen zeggen.
Toch?

Hij trok zijn trui over zijn hoofd, vouwde hem zorgvuldig
op en stopte hem weg in een nylon tasje dat opgevouwen in zijn
broekzak had gezeten. Het was een handig tasje dat ook diende
als portemonnee.

Noes ademde diep in.

De betonnen gebouwen, de straatklinkers, de geparkeerde
auto's: alles weerkaatste een zonnewarmte die beslist niet van
het laatste halfuurtje was. Dat had hier rustig de hele dag staan
slorpen. Hij keek naar de voorbijgangers. In overhemden en
blousetjes kwamen ze van hun werk en liepen met gezichten
alsof ze vanavond, net als iedere avond, lekkere saté, lekkere
ikan boemboe gingen roosteren op hun achtergalerijen.

Met een paar sprongen daalde hij de trap af. Warmte, dat was
zijn natuurlijk element. Wat dacht je? Was hij soms niet opge-
groeid met het beeld van een verschroeiende zon aan een
eeuwig blauwe hemel? Zeker, zeker, hij was ouder en veel en
veel wijzer. Maar verhinderde hem dat bijvoorbeeld om, als hij
's nachts niet kon slapen, met grote ogen te liggen kijken naar
de witte stranden, de zacht waaiende palmbomen, stil te luiste-

ren naar het geruis van de zee die aan alle kanten het idyllische paradijs omsloot?

'Vergeet die tram nou maar even, jongen...'

Zwaaiend met zijn tasje liep hij door de stad. Op het Museumplein werd hij bij het oversteken bijna geschept door een taxi die zeker honderd reed, maar Noes maakte een soepele sprong en grinnikte toegeeflijk de auto na.

Het Leidseplein was vol potsenmakers. Een meisje in jacquet bewoog zich met de schokkerige gebaren van een robot. Een monstrueus dikke man ontlokte aan de omstanders een steeds luider geschater met een truc die berustte op het uitbuiten van zijn wanstaltigheid. Hij liet zich domweg telkens vallen. Noes schaarde zich even bij een kleine menigte rond een halfnaakte donkere jongen die zichzelf zonder een spier van zijn gezicht te vertrekken doorboorde met naalden als breipennen. Het zag er eng uit. Leed die jongen werkelijk geen pijn? Noes had weleens gehoord dat alle emoties, verdriet en pijn verdwijnen als je geen verlangens meer kent. Hij had gehoord dat elk verlangen dwaas is, omdat de wereld zoals je die dagelijks ziet en voelt niets anders is dan een illusie, een sluier, een verzinsel van je geest. Grijnzend liep hij door. Mooie boel zou dat zijn...

In de Leidsestraat vergaapte hij zich aan de kleurige uitstalling in de etalage van de banketbakker.

'Een gebakje voor vanavond bij de televisie zou niet zo gek zijn.'

Hij was dol op zoetigheid. Zoals alle kinderen in de wijk was hij gekoesterd in zijn jeugd. Taartjes, spekkoek, geknuffel en gekus. Totdat je ineens groot was en een pak slaag kon krijgen als je niet wilde deugen. Enfin, zou ook wel ergens goed voor zijn geweest. Maar op die zoetigheid bleef je gesteld. Ook als je allang op eigen benen stond. Als het eiland van je jeugd een verlaten eiland was gebleken.

In de winkel was het koel.

'Een citroenbavarois?'

De glimmende taartvork zweefde naar links.

Noes aarzelde. Toen wees hij gedecideerd naar een mooi wit gebakje met room en poedersuiker.

Het laatste gedeelte van de straat bestond bijna geheel uit reisbureaus. Sunway, Terrasol, Sunnytour. Noes' ogen gleden over het gulle aanbod van stranden, zee en blauwe luchten. Paradijzen binnen handbereik. Zo te regelen, meneertje!

Maar Noes was niet geïnteresseerd. Hij zag er niets van. Noes was begonnen te denken aan zijn vrouw. Dat gebeurde hem de laatste tijd steeds vaker. Zomaar als hij ergens liep, of zomaar als hij op zijn werk een bestelling stond in te pakken, verscheen ze ineens: zijn vrouw.

Ook nu weer zag hij haar zo duidelijk voor zich alsof hij tegenover haar aan tafel zat. Dat blauwzwarte haar dat glansde onder de lamp... de rode lippen... die ogen... plagerig, lief, maar nooit te doorgronden. Haar huid was nog donkerder dan die van hem, en nu hij erover nadacht: lief? Hij grinnikte.

Zijn aandacht werd getrokken door een winkel in damesmode. Het leek hem een chique zaak. In de etalage werden maar een paar kledingstukken getoond. Achter het raam vonkte in lichtpaarse neonletters de naam. Freia heette de winkel.

Freia. Zo heette zijn vrouw.

Hij sprak haar naam een paar keer zachtjes uit. Freia... Freia... Het klonk lacherig, maar ook een beetje vluchtig. Die naam paste verbazend goed bij haar.

Hij zou iets voor haar willen kopen. Om te vieren dat ze al zo lang samen waren. De blauwfluwelen jas beviel hem wel. Een smalle taille en brede, opgevulde schouders. Klein maatje zo te zien. Zesendertig, waarschijnlijk. Precies haar maat. Ze zou het lange haar over de kraag uitborstelen... haar suède enkellaarsjes...

f 900,–, meldde het prijskaartje koel.

'Kom op, Noes. Pak de tram nu maar.'

Lijn twee stopte voor zijn neus.

De tram was behoorlijk afgeladen, maar toch was er voor Noes nog een zitplaats vlak voor een mooie moeder met een mooie dochter, hoogblond allebei, met roze, door de warmte bevangen gezichten.

Toen hij zijn tramkaart in zijn tas wilde stoppen, rolden vanuit het ritsje aan de onderkant alle dubbeltjes en kwartjes over de vloer. Op zijn hurken begon hij ze op te rapen en veroorzaakte een opstopping in het gangpad. De tram ging in volle vaart de bocht om. Noes, weer overeind gekomen, moest zich met zijn ene hand stevig aan een stang vasthouden terwijl hij met de andere het geld in het taillezakje van zijn spijkerbroek probeerde op te bergen. Hij voelde dat de moeder en de dochter bij dit alles belangstellend toekeken.

Hè, hè, hij zat weer zo'n beetje. Over zijn schouder wierp hij de dochter, een kind van een jaar of dertien, een olijke blik toe. 'Dat vond jij wel wat, hè,' zei hij, 'al die kwartjes over de vloer.'

Het lukte hem niet het dwaze tasje weer in model te krijgen. Goed, dan die spullen er maar even uit. Voorzichtig haalde hij eerst het gebakje te voorschijn en daarna de trui.

Het meisje lachte verlegen. De moeder zei: 'Nou ja, wat jij probeert is ook wel heel moeilijk.'

Hij draaide zich verder om.

'Ja,' gaf hij toe, 'ik vind het een ingewikkeld tasje. Het is van mijn vriendin. Ze heeft het me vanmorgen meegegeven. Het is een tas en een portemonnee in één. Volgens haar is het heel handig.'

De moeder zei glimlachend: 'Nou, zij kan er vast beter mee omgaan dan jij.'

'O zeker,' zei Noes. 'Ze is heel handig, en ze is...'

Zijn ogen gleden van de moeder naar de dochter. Ze mochten er beiden wezen. De dochter was lief, net een jong varkentje, maar de moeder had zo'n manier van aankijken, met van die halfgeloken ogen, hij zou het zo één, twee, drie nog niet weten...

'Ze is heel lief,' zei hij, de trui uitvouwend. 'Kijk, die heb ik van haar gekregen.'

De vrije plaats aan het raam naast hem werd bezet. Een dikke vrouw wrong zich langs hem heen. Noes redde maar net op tijd zijn gebakje. De dikke vrouw verontschuldigde zich.

'Ach, dat geeft niks,' zei Noes en liet ook nog een jongetje passeren dat bij de vrouw op schoot ging zitten. Het werd een krappe bedoening. 'Maar jullie maken het wel bont,' mopperde hij goedmoedig.

Hij draaide zich weer om. Grappig was dat, dacht hij ondertussen, zo gemakkelijk als hij hier zat te praten. Verdomd, hij was niet anders dan de eerste de beste Amsterdammer. Langs de raampjes schoof de stad voorbij. Op de terrassen en in de straten was het bijna even vol als in de tram. Maar het was een zachtmoedige drukte. Noes voelde zich gekoesterd, door de mensen en door de zon.

'En zij krijgt van mij een gebakje,' hernam hij.

Hij tilde het zakje even op.

'Laat eens zien,' zei de dochter.

Het meisje wierp een blik op de door het matte papier afgeschermde zoete weelde en leunde toen snel achterover, er blijk van gevend dat haar belangstelling zuiver theoretisch was.

'Komt u weleens in de Leidsestraat?' vroeg hij aan de moeder.

Ze glimlachte. 'Jawel.'

'Ik heb daar zo'n mooie jas gezien. Blauw. Met wijde mouwen. Die wil ik kopen voor mijn vriendin, nou ja: mijn vrouw. We zijn al vijf jaar bij elkaar.'

'Zo, jullie zijn trouwe types.'

Haar stem klonk geamuseerd.

Even staarde hij voor zich uit. Zijn hart zwol van tederheid, van liefde. Reken maar dat hij trouw was, reken maar van yes. Als je vrouw zulke smalle enkels had, als haar wangen 's morgens bij het ontwaken net zo opgevuld en donzig waren als de avond tevoren...

Hij sloeg zijn ogen op naar de moeder.

'Ja,' zei hij ernstig. 'Ik ben heel trouw.' En na even nagedacht te hebben: 'Tegenwoordig wel. Niet dat ik niet van een beetje dollen hou,' – hij lachte even naar de dochter – 'maar echt iets beginnen, dat durf ik niet meer. Want als mijn vrouw erachter komt, dan slaat ze me.'

Eén moment sperde de moeder haar ogen open.

'Sorry,' zei ze. 'Ik verstond je niet goed. Wat doet ze?'

'Ze slaat me.'

'Nee. Ga weg!'

Hij knikte. 'Ja zeker.'

Onbewust van zijn ongemakkelijke, gedraaide houding verzamelde Noes zijn gedachten. Ook de hevige schok waarmee de tram plotseling remde om een jongen op een fiets voorrang te verlenen bracht hem niet uit zijn concentratie.

Hij boog zich nog iets verder voorover: 'We waren nog maar kort bij elkaar toen ik het een keer geflikt heb. Ik begrijp het nou nog niet, net zo'n mooie gloednieuwe vrouw thuis, maar goed, het gebeurde. En meteen spijt, spijt! Om een uur of zes kwam ik thuis. Ik dacht: eerst maar eens rustig eten, dan vertel ik het wel. Maar zij keek mij aan op zo'n manier, hoe moet ik het zeggen, zij keek gewoon dwars door mij heen en wist alles. Maar niks zeggen, hè, alleen maar: O? Bij een vriend?, en dan doodkalm naar de keuken lopen om het eten te koken. Ik ging zitten, op de bank, en dacht: jongen, daar kom je goed van af, ze vindt het helemaal niet zo erg. Ik begon plannen te smeden om het straks eens eventjes speciaal goed te maken, en zij maar koken ondertussen. Twee, drie uur was ze bezig, want dat doet ze altijd, hè, veel werk maken van het eten. Na een tijdje begon het ontzettend lekker te ruiken en ik kreeg honger als een tijger, echt, het was niet gewoon. Uit de keuken klonk haar geneurie en het gesis van het vuur, allemaal zo vertrouwd, hè, en toen begon ik te denken dat alles oké was, dat ze van niets wist. En ik begon me een echte geluksvogel te voelen. Een gebraden haan.'

Hier moest hij zijn verhaal onderbreken omdat naast hem de dikke vrouw en het jongetje begonnen te krakelen. Het jongetje riep dat ze er waren en wees met overtuiging naar buiten. De vrouw bezwoer dat ze zeker nog twee haltes verder moesten.

'Nou,' zei Noes toen het tweetal tot bedaren was gekomen, 'ik zei bij mezelf: door dat zaakje ben je mooi heen gezwijnd.'

Hij verlaagde zijn stem: 'Ten slotte komt ze de keuken uit met een grote pan, zo van het vuur. Waar wil je het opgediend hebben? vraagt ze. Ze staat voor me en ik kijk naar haar rok en haar benen en naar al dat eten, want ze houdt die pan zo'n beetje onder mijn neus en ik denk: die komt straks lekker naast me op de bank zitten. Nee, ik had werkelijk helemaal geen erg, hè, ze zag er zo vriendelijk en kalm uit, dus ik zeg: nou gewoon, hier op de bank. En voordat ik boe of bah had kunnen zeggen tilt ze die pan op, zo hoog als ze maar kan – en u moet bedenken: die pan was loei- en loeiheet en helemaal vol met kip en zo – en laat hem met volle kracht op mijn hoofd neerkomen!'

Alsjeblieft. Noes was zelf ook behoorlijk onder de indruk. Wat een temperament! Wat een onberekenbare vrouw! Klein, tenger, maar moet je eens zien!

Hij merkte dat niet alleen de moeder en de dochter verbluft zwegen, de halve tram had meegeluisterd. Een rij oplettende gezichten keek hem aan. Maar om een of andere reden was hij maar in één gezicht geïnteresseerd. Ze had naar hem geluisterd, naar hem gekeken, maar Noes besefte opeens dat hij haar ogen geen moment ontmoet had. Dat kwam niet door het blonde haar dat tot over haar wenkbrauwen viel, maar door die eigenaardige verre blik.

'Ik geef haar groot gelijk,' zei de moeder.

Plotseling leek het hem van levensbelang dat ze hem even, al was het ook nog zo kort, met aandacht aan zou kijken.

Hij slikte.

'Ik was eraan toe! Het bloed stroomde over mijn gezicht. Ik lag op de vloer en huilde. Help! Help me toch! riep ik. Ze liep naar de telefoon. Ik dacht: ze belt een ambulance. U moet begrijpen,' – Noes greep naar zijn hoofd –, 'het was echt heel erg. Hier, onder mijn haar, kan je het litteken nog steeds voelen. Maar niks hoor, ze belde een taxi. Ze pakte haar spullen in en vertrok. Ja, ze vertrok zonder ook maar een moment naar mij, jammerend en bloedend op de grond, om te kijken!'

De moeder zei: 'Ach, zoiets ziet er altijd erger uit dan het is.'

Zij en haar dochter en de halve tram keken hem lachend aan en trouwens, Noes zelf zat ondertussen ook te grinniken.

Ze arriveerden bij het Centraal Station. De tram stopte en de deuren klapten open.

'Nou?' vroeg de dochter. 'Hoe liep het af?'

Iedereen was opgestaan en begon naar buiten te dringen. Noes liet de moeder en de dochter voorgaan bij het trapje.

'Pas na vier maanden kwam ze terug,' zei hij.

Nog nagrinnikend en hoofdschuddend zat hij even later in de bus naar Amsterdam-Oost. Freia. Die was wel heel erg heetgebakerd uitgevallen. Hem op zijn hoofd slaan met een pan ajam masak kemiri! Halve wilde... Waar kwam ze vandaan? Niet van Ambon. Ook niet van Buru. Misschien van de Kai-eilanden...

Hij stapte uit.

'Ziezo, Noes, op naar je woning.'

Tevreden liep hij tussen de warme huizen. De mensen zaten op stoelen voor hun deuren. Het rook naar eten en het rook naar rook. Roezige gelukkige rook. Hoogeveen en de wijk waren ver weg. Ze hadden hem dan toch gelijk moeten geven, de familie, de vrienden. Ja jongens, Noes gaat het maken: een eigen woning, eigen werk, Noes is gestopt met dromen.

Algauw werden de straten smaller en rommeliger. Vanuit open kroegdeuren klonk geschreeuw. Gehavende auto's zonder wielen versperden de stoepen. Hij struikelde over een paar benen die onder een legergroene Oldsmobile uitstaken.

'Kijk uit waar je loopt, eikel!' klonk het woedend achter hem.

Noes begon zich moe te voelen. Het was een lange dag geweest. Hij keek om zich heen. Tersluiks was de drukte, het geschreeuw van de mensen die uit de ramen hingen, de broeierige stoffige warmte van aard veranderd. Hij kreeg de indruk uit de gratie te zijn zonder te weten van wat of wie. Niemand groette hem. Niemand besteedde ook maar de geringste aandacht aan hem.

Nog één huizenblok.

Voor nummer achtentwintig speelden een paar halfnaakte kinderen in een opblaasbadje. Hij kon er zich net langswringen. Zijn kamer was helemaal boven. Begeleid door een vreemd hevig verdriet beklom hij de drie trappen. Hij grabbelde naar zijn sleutel.

Zoals altijd wanneer hij zijn kamer binnenkwam, viel zijn oog op de landkaart die aan de muur boven de televisie was opgehangen: de eilandengroep in de blauwe oceaan. Zonder vrees was hij over de drempel gestapt, want zijn inwendige ogen hadden de vier in papier gewikkelde dubbeltjes gezien die in de uiterste hoeken van zijn kamer op de vloer lagen. Er waren geen kwade geesten meegekomen.

Hij sloot de deur en was alleen.

Oef, het was warm binnen! Hij liep naar het raam en gooide het open. Ogenblikkelijk drong het straatlawaai omhoog. Bij het gootsteentje waste hij zijn handen, daarna verwisselde hij zijn kleren voor een dunne, gestreepte pyjamabroek. Hij zette de televisie aan, pakte het gebakje uit en begon met grote happen te eten.

NAAR HET ZUIDEN

's Nachts lagen ze allebei te luisteren: inderdaad begon de boom tegen tweeën te zingen.

Aan die herfststormen waren ze natuurlijk gewend. Ieder jaar was het een paar keer raak. Dan brak de hel los. Wat vloog er niet allemaal door de lucht? De golfplaten van de carports, de te laat opgeborgen zonneschermen, de takken die allang gesnoeid hadden moeten worden. De oude buurt waar zij woonden was chic op een speciale manier: de villa's werden verwaarloosd. Vorig jaar was er een natuurstenen balkon keurig in zijn geheel naar beneden gekomen.

Goed beschouwd hadden ze geen reden om wakker te liggen. Hun kleine huis, de helft van een voormalig bediendenverblijf, werd door Gerard volmaakt onderhouden. Deze zomer had hij het platte dak nog voorzien van een nieuwe laag dakleer, de allerbeste kwaliteit, en daarna was er een kwast bituum overheen gegaan.

Maar juist 's nachts was het lawaai indrukwekkend. Dan ging de eik tekeer. Hij stond eigenlijk op het terrein van de kerk, maar overluifelde genereus hun huis en dat van Marinus, de jongen die een tijdje geleden aan de andere kant was komen wonen. In de loop van meer dan twintig jaar hadden Gerard en Lidy deze boom leren kennen: wanneer er boven het gebulder een beverige hoge melodie begon op te stijgen, als het zingen van een kind, dan konden ze ervan op aan dat het heibel zou worden.

Gerard hoorde zijn vrouw zachtjes hoesten. Voorzichtig verlegde ze haar benen. Hij begreep dat ze haar slapeloosheid voor hem wilde verbergen.

'Ga slapen, Lidy,' zei hij. 'Wat kan er gebeuren?'

'Het is de boom,' antwoordde ze. 'Ik ben er eigenlijk nooit gerust op geweest.' En met een zucht voegde ze eraan toe: 'Hoe wij hier liggen in onze pyjama's.'

Ze kwam op een elleboog overeind en draaide haar kussen om.

'Nou? Wat is daarmee?'

Ze gaf geen antwoord. Hij voelde haar warme onrustige adem tegen zijn gezicht.

Maar hij wist het wel. Ze bedoelde dat ze hier vol vertrouwen lagen, uitgestrekt als stokvissen, en dat op een paar meter afstand een niet ongevaarlijke wereld zich uitleefde.

'Ze zijn heel secuur, van de kerk,' bezwoer hij. 'Ieder jaar laten ze hem keuren. In oktober, het is pas nog gebeurd. Bovendien...'

Hij zweeg.

'Ja, wat?'

'Bovendien is de wind pal noord,' ging hij door. 'Als hij valt, valt hij naar het zuiden. Niet op ons.'

Even bleef het stil. Toen zei ze verbijsterd: 'Maar wel op Marinus!'

Op dat moment begreep Gerard dat ze helemaal niet naar de storm had liggen luisteren, dat wil zeggen: niet echt. Haar bevindingen – god wat gingen die takken tekeer, wat waren dat voor explosies, aardedonker moest het zijn nu, daarbuiten, morgen zou de put overstromen, verzadigd met grauwgrijze modder en bladeren die naar zwavel stinken – hadden zich gegroepeerd rond een alarm dat veel dieper in haar vastzat: waarom duurt het deze keer zo lang?

En daar zei ze het al: 'Hij blijft deze keer wel erg lang weg.'

Stilzwijgend stemde Gerard met haar in. Inderdaad. Langer dan anders. Marinus zou morgen op de kop af vijf weken weg zijn. Haar stem wordt iedere dag donkerder, dacht hij.

's Morgens bleek het mee te vallen. In hun nachtgoed stonden ze bij het raam en keken naar buiten. De tuin was bedolven onder takken en bladeren en op het dak van het schuurtje lag iets wat leek op een stuk regenpijp.

'Alleen de droogmolen,' zei Lidy.

Ze had gelijk. Scheefgezakt, en zelfs een beetje uitgeklapt, stond hij op het gazonnetje. Gewoon stom, bedacht Gerard, dat hij hem niet even had binnengehaald.

Flink waaien deed het nog steeds. In het zwakke ochtendlicht kon je boven het huis aan de overkant drie lagen wolken in verschillend tempo langs elkaar heen zien jagen. Hoewel de voorste er zwaar en paars uitzag ging die toch het snelst. In een holte van een dak zaten twee duiven met wapperende veertjes.

Tijdens het koffiedrinken gutste plotseling de regen neer, hagel bijna. De druppels, door de kracht van de wind opgejaagd, striemden de lege flessen en het vuilnisvat.

'Zou je niet even wachten?' vroeg Lidy toen hij bij de achterdeur zijn kaplaarzen begon aan te trekken.

Maar Gerard had nooit rust op de dagen dat hij niet naar kantoor moest. Arbeidstijdverkorting heette de gezegende regeling, en hij was gewend er goed gebruik van te maken.

Hij begon de bladeren bijeen te harken en in vuilniszakken, flink aangestampt, onder het afdak van het schuurtje weg te zetten. Daarna verzamelde hij de takken en stapelde ze op bij de houtblokken. Prima aanmaakhout. Jammer dat de regen hem belette om het tuinhek in de carbolineum te zetten, zoals hij voor vandaag gepland had.

Met opgetrokken schouders stond hij achter in de tuin. Terwijl zijn ogen over zijn huis – alles in orde – en dat van Marinus dwaalden, kon hij zich bijna niet voorstellen dat het twee volkomen gelijke helften van één gebouw waren. Smal, laag, eigenlijk niet meer dan een uitvergrote schoenendoos, had hij zijn gedeelte in de loop der jaren weten om te bouwen tot een bungalow met spiegelende ramen, een vakkundig opgebonden, nu kale, maar de hele zomer uitbundig doorbloeiende *Pink Dawn*, en een betegeld terras. Nu, in de regen, glom de verf van de kozijnen als spek. Maar de laatste weken kon de aanblik van al dat fraais hem niet meer verheugen. En vandaag trof de rechte scheidslijn tussen zijn groene daklijst en het afgebladderde grijs van Marinus' helft hem met een steek door het hart.

Hij had op de ladder gestaan. De zon in zijn nek. Plamuren, schuren en daarna het mooiste: de glanzende verf. Op zijn plaatsje, tussen de onbeschrijflijke bende, had Marinus geknield zitten prutsen. Als altijd in dat soldatenjack. Toegewijd. Hem volkomen negerend. Gerard had een paar keer moeten roepen en toen hij opkeek bleven zijn handen gewoon doorgaan. Ergens aan draaien. Gekras van metaal op metaal. Vreemd gele ogen had die jongen. Of hij zijn kant ook even mee zou nemen. Kleine moeite. Zo gedaan.

'Nee, Gerard, lazer op met je kwast,' had Marinus op vriendelijke toon gezegd. 'Zoals het nu is, is het mij best.'

Ze waren blij geweest toen ze merkten dat de woning aan de andere kant weer in gebruik werd genomen. Op een avond stond er een container op het pad en toen Gerard de volgende dag buiten kwam – het was zaterdag, eind juni, en er was heel wat te doen – zag hij een jongen van een jaar of vijfentwintig met voortvarendheid de lege olievaten, de oude kachels, al de rotzooi die hen al jaren geërgerd had, die grote bak in smijten.

'Hé!' riep Gerard over de heg. Hij trok een breed lachend gezicht.

De jongen zwaaide naar hem zonder zijn werk te onderbreken. Gerard bleef even toekijken. Het was een verdomd stevige jongen, die met het grootste gemak een Franklinkachel vastgreep. Zijn manier van lopen herinnerde hem aan zijn diensttijd: de trage grote stappen die iedereen maakte bij een langdurig en vervelend karwei.

En omdat er ook nog het legerjack was, en de kistjes, en het donkere vettige haar dat over zijn gezicht viel zonder er de uitdrukking van concentratie, van vermoeidheid, van te verbergen, kwam toen even bij Gerard het gevoel op dat hij te maken had met een soldaat. Een frontsoldaat.

'Kom een kop koffie halen straks,' riep Gerard. Hij wees. 'Hiernaast.' En zonder het antwoord af te wachten ging ook hij aan de slag.

Het werk vlotte die ochtend beter dan ooit. Eerst had hij de auto schoongesponst en vervolgens met een wollen doek in de was gezet. Daarna had hij zijn workmate uit de schuur gehaald, de zaagmachine aangesloten en het mahoniehouten kruidenrek – een wonder van maatvoering dat de onregelmatige ruimte tussen de afzuigkap en de droogtrommel exact zou opvullen – bijna helemaal afgewerkt. Alleen nog vernissen. Terwijl de zon hoger klom en zijn overhemd de contouren van zijn pezige rug begon aan te geven, was hij zich voortdurend bewust van de bedrijvigheid naast hem. De galm van de geluiden uit de container werd geleidelijk doffer en aan het eind van de ochtend klonk er het triomfantelijk gesis van een waterstraal: het plaatsje werd schoongespoten.

'Er wordt daar stevig opgeruimd,' meldde hij onder het middageten aan Lidy.

Maar toen hij later op de dag bezig was aan het gazon – rollen, zuiveren, bijsteken – zag hij verbluft hoe de ene vracht na de andere het erf weer werd op gezeuld. Kratten, buizen, houten palen, een grafzerk, een partij vergrijsd sloophout, rollen kippegaas. Nadat Gerard de grashark had weggezet en terwijl hij in de deuropening van de schuur zijn schoenen verwisselde, constateerde hij dat de zooi naast zijn huis erger was dan ooit.

Ineens stond hij voor hun neus. Lidy had net thee gezet, het hele huis rook naar marmercake en daar doemde hij op in het witte zonlicht dat door de deuropening naar binnen viel.

'Ik heb toch wel zin in koffie.'

Hij keek naar Lidy.

Gerard sprong overeind en begon gastvrij te gebaren: 'Wat leuk. Kom binnen!'

Ze gooide de thee weg en vulde de koffiemachine.

Zonder zich te bedenken liep hij door de propvol gemeubileerde kamer en ging zitten op het kamelezadel naast de haard. Een laag en ongemakkelijk meubel, eigenlijk alleen geschikt voor een kat of een kind. Opgevouwen, zijn enorme schoeisel op het kleedje, wachtte hij tot de koffie gezet was.

Ze mocht hem direct. Ze ging tegenover hem zitten en vroeg hoe hij heette en wat hij deed. Hij heette Marinus. Hij was kunstenaar. Hij maakte beelden.

'Gek,' zei ze 's avonds tegen Gerard. 'Zijn ogen en zijn stem komen me zo bekend voor.'

Er klonk getik tegen de ruit. Gerard keek op. Ze riep iets en wees. Er was natuurlijk geen sprake van dat hij haar boven de wind uit kon verstaan. Hij liep naar het raam. Achter het glas duwde ze haar porseleinroze gezicht naar hem toe, ze articuleerde duidelijk, haar lippen tegen de zijne: 'Kijk even bij Marinus. Het zeil. Over de zakken cement.'

In zijn regenpak liep hij over het paadje dat vrij was gehouden tussen de opstapelingen. De eik, die de afgelopen dagen heel wat van zijn blad was kwijtgeraakt, had een gedeelte van de rommel veranderd in gouden en bruinachtige golvingen. Zag er wel vredig uit. Gerard kneep zijn ogen een beetje dicht.

Nooit had hij meer de kans gehad om zo'n route af te leggen als in dat eerste studiejaar toen hij in gezelschap van drie andere blaaskaken – bewoners van de wereld – maar eens een kijkje was gaan nemen in Turkije, Afghanistan, Tibet. Hij herinnerde zich de vreemd-koude nacht waarin hij zich heel ongemakkelijk had gevoeld, waarin zijn ogen, die zich overdag hadden vergaapt aan de ravijnen, de vlakten, de met naaldwouden begroeide hellingen, ontnuchterden. Blind en doof. Alleen een plekje in zijn keel was nog in staat om een vage, maar schrikbarende indicatie op te vangen van wat onder de oppervlakte, onder de exotische bekleding van het landschap verborgen was. Mijnbouw, had hij de dag daarop gedacht. En later, thuis: mijnbouw... mijnbouw... een beetje onpraktisch, eigenlijk.

Het zeil was gelukkig blijven zitten. Maar een extra verzwaring kon geen kwaad, het was zeker niet gezegd dat ze het ergste gehad hadden. Hij speurde rond. Toen hij een steen naast de schutting oplichtte, schoten er een stel zwartglanzende torren onder vandaan.

Ze waren hem gaan zoeken, die eerste keer. Natuurlijk niet meteen. Pas nadat hij meer dan een week niet was komen eten, stond het voor hen vast dat er iets mis moest zijn.

Achter elkaar over het paadje op zijn huis toelopend – waakzame ogen, steelse voetstappen – voelden ze niets dan schaamte. Misschien was hij wel gewoon thuis. Zag hij ze aankomen en begon hij zachtjes te vloeken. Hij wilde nooit gestoord worden.

Tot hun verrassing was de deur niet afgesloten. De lakens van het bed hingen op de betonnen vloer. In een koekepan kleefde de helft van een uitsmijter. Ten slotte, op een opengeslagen telefoonboek, vonden ze de oproep.

Ze waren dit soort gebouwen niet gewend. Eerst melden bij de receptie. Hoe is de naam. Derde etage en dan vanuit de lift de gang in. De mysterieus verheugde sfeer joeg hen schrik aan. Men kende de weg. Men praatte luchtig. Men kwam hier zeker vaak. Een jonge verpleegster liep glimlachend, dromend achter een theewagen. In de lift werd de geur van ontsmetting overstemd door die van de bloemen. Ook Lidy had ze bij zich, eigenaardige dingen, ze kon zich niet voorstellen dat ze die straks zou aanbieden. Tussen de anderen kwamen ze de gang in. Niemand zag het verboden tafereel dat zij, door een openzwaaiende deur, wel zagen: een broodmagere vrouw die verbijsterd haar hemd optilde.

Uiteindelijk vonden ze hem, in een kamer met drie bedden, waarvan er al twee door bezoek geclaimd waren. Gerard liep door, maar Lidy aarzelde bij de deur.

Met dichtgeknepen ogen en het laken half over zijn hoofd lag hij naar het raam gekeerd. Gerard boog zich over hem heen. Ja, hij was het wel, ondanks het benige voorhoofd, ondanks het masker van oude gele klei. Op het moment dat hij zacht 'Marinus!' riep en de ogen openschoten, hem langzaam herkennend, razend, donker van woede, begreep Gerard hoe onvergeeflijk indiscreet hun aanwezigheid hier was.

'Godverdomme... godverdommegerard! Sodemieter op!'

Ze vonden de uitgang heel gemakkelijk.

Op de terugweg wisselden ze geen woord. Het regende. In de Bijlmer hadden ze alle stoplichten tegen en daarna belandden ze in een file die pas oploste bij de afslag Almere waar drie of vier verkreukelde auto's tegen de vangrail gedrukt stonden.

Een tijdje geleden – een mooie nazomermiddag, er dreef een zeppelin boven de kerk – had Marinus geïnformeerd: 'Wat doe jij eigenlijk voor werk?'

Verrast, hij stelde maar zelden een persoonlijke vraag, had Gerard geantwoord dat hij bij de SWOV werkte.

'Swof? Swof?' herhaalde Marinus.

'Stichting Wetenschappelijk Onderzoek Verkeersveiligheid.'

Terwijl hij zijn glas een beetje scheef hield zodat Gerard hem een pilsje met een fatsoenlijke schuimkraag kon inschenken, keek Marinus hem niet-begrijpend aan.

'Tjee.'

'Ik hou me bezig met de middenbermbeveiliging,' verduidelijkte Gerard. Zijn stem klonk plechtig.

'Je bedoelt de vangrail?'

'Ja. De vangrail.'

Dat had hem geamuseerd. Hij had hem grinnikend aan zitten kijken en na een tijdje gezegd: 'Jij zorgt ervoor dat ze elkaar niet krijgen. Al rijden ze allemaal even snel.'

Hij begon een of ander stom liedje te fluiten dat hij onderbrak om peinzend te benadrukken: 'Jij zorgt ervoor dat twee gelijke, maar in verschillende richting voortrazende werelden gescheiden blijven.'

Gerard draaide het pad op. De bank waarop ze toen hadden zitten praten, blonk van de regen.

In de keuken zette ze de bloemen in het water, verstrooid, zonder het blad van de stelen te halen. Hij hoorde haar zachtjes snuffen zoals ze altijd deed als ze geschokt was. Gedurende enkele dagen stonden de chrysanten – van het hardnekkigste soort – tussen hen in op tafel. Daarna trof hij ze aan in de vuilnisbak onder een restje aardappelen.

Toen hij weer binnenkwam stonden de radio, de wasmachine en de droogtrommel aan, en was Lidy bezig met een bezorgd gezicht de op hoge toeren draaiende mixer door een beslagkom te porren. Wat nooit had gekund als Marinus er geweest was.

Hij trok zijn regenpak en laarzen uit. Een beetje beduusd door het lawaai rookte hij in zijn stoel naast de krantenbak maar eens een sigaartje. Hij keek om zich heen.

Ook hier hadden zijn handen in de loop der jaren heel wat tot stand gebracht. Behalve het behang, de mosgroene deuren en het parket gold zijn tevredenheid vooral de voorwerpen. Daarin zat zijn echte liefde. Geen groter genoegen dan de aanblik van Lidy die zonder omhaal de tafel dekte met zijn zorgvuldig gesoldeerde messeleggers, die zijn grenen stoelen aanschoof, die de lamp met zijn dikke oranjebruine perkamenten kap aanknipte. Het leek of zij met haar stevige aanrakingen zijn produkten voltooide. Ze de adem inblies als het ware.

Een voor een vielen de apparaten stil. Alleen de radio bleef doorgaan en schalde het weerbericht de kamer in: '…tot orkaankracht vanuit het noorden… windsnelheden van honderdveertig kilometer per uur… waarschuwing voor de scheepvaart…' Nou, het was te merken. Boven zijn hoofd waren krachten aan het werk die zijn huis naar vier kanten uit elkaar leken te trekken. In de tuin tolde een spiraal van bladeren. Toen er orgelmuziek begon, stond hij op en deed ook de radio uit.

Ze zaten op dezelfde elektrische groep. Als ze behalve koken en stofzuigen ook nog wilden wassen, kon Marinus het wel vergeten. Op een dag – toevallig Lidy's verjaardag – was zijn kwaaie gezicht voor het keukenraam verschenen. Ze kenden hem nog niet zo goed en schrokken ervan.

'Wat is er aan de hand,' schreeuwde hij, 'ik zit ineens zonder stroom!'

Gegeneerd duwde Gerard de schakelaars om en trok de stekkers uit de stopcontacten.

'Ik kom er wel even een grijze stop in draaien!' riep hij terug.

Je zou toch niet zeggen dat deze keet het exacte spiegelbeeld was van hun eigen gerieflijke huis! Verbaasd keek Gerard naar de overladen werkbanken (Louis xvi-zithoek met televisiemeubel), de gebarsten porseleinen gootsteen met daarnaast een gasfles en een tafeltje met snijbranders en lasapparatuur (ingebouwd ligbad met handdouche), en het bed met een volle asbak naast het kussen (twee bij twee meter dertig, Gerard was erg lang en hij had het daarom een eindje verlengd; een matras was moeilijk te krijgen geweest). De fraaie smeedijzeren plafondluchter werd somber weerkaatst door een takel – vijfhonderd kilo – waarvan een paar roestige kettingen afhingen tot op de vloer. Vanwege de meter was hij hier natuurlijk wel eerder geweest, maar toen was de ruimte kaal en anoniem en min of meer onzichtbaar.

Nadat hij de stop erin had gedraaid, schoten er een paar tl-buizen aan en begon ergens in een hoek een boormachine te razen. Marinus liep erop af.

Maar het ontstellendst waren de voorwerpen. Gerard kon ze niet thuisbrengen, de obstakels die overal stonden opgesteld en waar hij zijn ogen niet goed op durfde vestigen.

Behalve dan het ding midden onder de lichtkoepel in het dak. Kon je daar soms omheen? Het was een meter of twee hoog, van hout, grijs en bruinig opgeverfd en op sommige plekken bedolven onder korrelig gips. Zo zag het eruit.

'Wat moet dat nou voorstellen?'

Hij reageerde eerst helemaal niet. Legde de boormachine weg, trok een kist vol gereedschap naar zich toe waar hij al rommelend een schroevedraaiertje uit opviste, dit keurend omhoogchield en daarna ten gunste van een waterpomptang weer liet vallen.

'Het stelt voor wat je ziet,' klonk het ontoeschietelijk.

Me tante, dacht Gerard, ineens een beetje nijdig. Wat ik zie, is dat hier heel slordig getimmerd is, dat de spijkerkoppen niet zijn verzonken, dat er vergeten is een klodder gips weg te vegen.

Hij verstijfde toen zijn oog op Marinus viel, die naderbij geslenterd was en nu ook de constructie stond te bekijken, nee: stond te beloeren. Waakzaam. Taxerend. Zo wordt er gekeken naar een in bruin papier verpakte tikkende doos, naar een UFO op de nachtelijke hei, naar een dier, harig, donkergevlekt, van een nog onbeschreven soort, waarvan je niet weet of het zich met een zacht goedmoedig knorren uit de voeten zal maken of op het punt staat onder schrikwekkend gekrijs aan te vallen.

Zagen zij wel hetzelfde?

En ook toen hij bedremmeld omliep en, achter Marinus, vanuit dezelfde hoek met hem meekeek, zag hij het niet, de dreigende gebeurtenis, het gevaar voor explosie, hij zag alleen de opgetrokken schouders in het soldatenjack.

Verstrooid sloten zijn vingers zich om het boodschappenlijstje dat nog in de zak van zijn colbert zat en hij herinnerde zich dat ze vanavond bezoek zouden krijgen.

Maar: hij wilde in Marinus' gezelschap blijven. Om een onverklaarbare reden.

'Hé, Lidy is jarig. Kom straks gezellig wat drinken.'

Juist toen ze aan tafel wilden gaan, kwam hij aanzetten. Omdat de winkels al gesloten waren en hij dus geen bloemen meer kon kopen, had hij een kleine tekening voor haar meegebracht. Het stelde niet veel voor, een werktekening, een paar lijnen, meer niet. Maar Lidy hield haar bewonderend in haar handen. Ze zag er een berg in.

'Die moet je heel mooi inlijsten, Gerard,' zei ze.

Gerard keek mee over haar schouder en knikte. Mahoniehout, overwoog hij, niet te breed maar wel met een profieltje.

Die avond schoof Lidy een derde stoel naar achteren zodat hij met hen mee kon eten en het maakte werkelijk niets uit dat hij daarna iedere dag bij hen aan die tafel kwam zitten want Lidy kookte altijd veel en lekker... Zulke dingen worden altijd gauw doodgewoon, zo doodgewoon dat ze erg uit hun doen raakten, telkens als hij zomaar verdween, en daarna ook weer erg aan zijn gezicht moesten wennen, ze hadden zich dat niet zo herinnerd, volgens hen was het een dikwangig gezicht met lippen die goed om de tanden sloten, volgens hen was het haar lang, weelderig krullend en nagenoeg zwart... Maar altijd kwam de gang er gauw weer in en wat is het prettig om een huisvriend te hebben die zo goed eet, die zo onder je ogen opknapt en ook nog vaak even blijft zitten om gezellig televisie te kijken...

Verrassend beminnelijk zat hij tussen de bijzettafeltjes en de visite. Als altijd op het kamelezadel. Hij bleek overweg te kunnen met een gebaksvorkje en dronk zwarte koffie totdat de drank op tafel kwam.

Waarover zat hij zo serieus te praten met de zus van Lidy? Gerard had het met de directiesecretaresse nooit zo goed kunnen vinden. Zijn zwager kwam amicaal snuivend naast hem zitten. (Zo!) Terwijl zijn ene oor was afgestemd op informatie over het enorme, uit zichzelf aangroeiende kapitaal dat een koopsompolis oplevert – mits jong genoeg afgesloten natuurlijk – ving Gerard met zijn andere oor flarden op van het gesprek tegenover hem.

Ze hadden het over de Nachtwacht, over de toch wel heel mooie kleuren van Karel Appel en over Vincent van Gogh.

'...in dollars. Niet de Amerikaanse, nee jongen, ik zeg je, denk aan de Australische dollar.'

Hij was niet waanzinnig. Nee, ook niet op het eind van zijn leven. Hij behoorde juist bij de zeer weinige mensen die goed bij hun hoofd zijn.

'...som ineens of, bijvoorbeeld, in de vorm van een lijfrente.'

Geen van de betrokkenen was sindsdien veranderd. Vincent niet, de schilderijen niet en ook de botte massa niet.

'...je weet toch wel dat een flink bedrag aftrekbaar is?'

Je herinnert je toch wel de verkoop van de Zonnebloemen vorig jaar? Die ook dezelfde zijn: ongezien en onbegrepen. Tussen de Zonnebloemen van toen en die van nu staat alleen maar veertig miljoen dollar. Niet meer dan een symptoom. Niet meer dan een symptoom van misdadige krankzinnigheid.

Lidy wenkte hem vanuit de andere hoek. Er stond iemand droog. Toen hij met de karaf langsliep, schoof Marinus behulpzaam wat achteruit, maar zijn schoonzuster trok haar voeten geen centimeter terug. Haar hand rustte tegen haar hals. Haar ogen staarden verbitterd langs hem heen.

'Bij elkaar gegrist na roofmoord,' fluisterde ze.

Zij zag die man het eerst.

Aan tafel hadden ze weinig gepraat. Na zoveel uur begon de

storm hen te vermoeien. Gerard las met een half oog een week-blad en Lidy staarde naar buiten, naar de schoongeveegde, har-de, oneindig blauwe lucht. Boven de bomen en de huizen hing schijnsel uit een ijssalon.

Wie weet hoe lang die man daar al liep te spieden? Even ver-dween hij uit het zicht, maar toen zag ze hem weer boven de heg uit opdoemen: een man in het grijs, met wapperende haar-tjes rond zijn hoofd.

'Een vent,' zei ze.

Gerard keek op.

'Wat?'

Ze strekte haar rug.

'Er loopt een vent rond te scharrelen bij Marinus!' riep ze uit.

Tot aan de voordeur liep ze met hem mee, maar toen hij naar buiten stapte, de kraag van zijn jasje opgeslagen, volgde ze hem niet. Gerard kende haar stille overtuiging: in haar afwezigheid verliepen de dingen vaak beter.

Vanaf het begin van het paadje keek hij toe. Wat hij zag zinde hem volstrekt niet. De man stond bij Marinus door het raam naar binnen te turen. In de hand waarmee hij zijn ogen af-schermde, hield hij een dubbelgevouwen stuk papier, in de an-dere een aktentas. Gerard voelde de huid op zijn armen samen-trekken. Even probeerde hij in zijn geest de herinnering terug te vinden waar dit beeld bij paste, de steelse bedreiging was vaag bekend, misschien had iemand hem ooit iets verteld, misschien had hij een foto gezien, misschien behoorde het tot de herinne-ringen die iedereen, overgeleverd, met zich meedraagt.

'Mag ik ook weten wat u daar uitvoert?'

De man draaide zich om en op dat ogenblik begreep Gerard, die zelf iedere maand een hele avond uittrok om met de groot-ste nauwgezetheid aan zijn verplichtingen te voldoen, wie hij voor zich had. De grijze jas, netjes maar afgedragen, de leren tas, en vooral de voeten – klein, in smalle schoenen – het soort voeten dat een bedeesd voorkomen heeft maar er uiteindelijk altijd in slaagt binnen te komen: deze man was een deurwaar-der.

'Weet u misschien waar de bewoner van dit pand verblijft?'

Naderbij komend staarde Gerard hem zwijgend aan.

'Hij heeft op geen enkele brief geantwoord. Ook is hij niet

aan het loket verschenen.'

De constateringen werden hem op beleefde toon meegedeeld, zonder een spoor van rancune, waarschijnlijk was het heel overdreven dat hij, in de zakken van zijn jasje, zijn vuisten balde.

Toen de man zich opnieuw omdraaide en daarbij de tas op de grond zette, wat op de een of andere manier een beslissing leek in te houden, zei Gerard: 'Er valt daar niets te halen!'

Hij kreeg geen antwoord. De ander leek geconcentreerd.

Gerard liep nu ook naar het raam.

Naast elkaar keken beide mannen naar binnen. Daar, midden in de ruimte, stond de motor.

Het was een wonderbaarlijk mooie machine. Slank, hemelsblauw geverfd en met twee spiegels aan lange staven aan het stuur bevestigd, leek zij niet zozeer bestemd om te rijden als wel om te vliegen. Je zou verwachten dat zich op een bepaald moment uit het glanzende weefsel van de flanken een paar vleugels zouden ontvouwen, en dat de sprinkhaan, de prachtige tor, de reusachtige Zuidamerikaanse vlinder met een nijdige gons langs je hoofd zou verdwijnen.

Gerard, die na die eerste keer niet meer naar de motor kon kijken zonder dat een ellendig gevoel van neerslachtigheid hem bekroop, moest telkens weer toegeven dat hij nog nooit zo'n mooi voertuig had gezien.

Dat was op een van die warme zomermiddagen geweest. Wekenlang had het geregend en nu de zon eindelijk scheen, was ze omfloerst. In huis bleef de vochtige hitte hangen. Voor het eerst sinds jaren had Gerard de grote hor te voorschijn gehaald nadat Lidy 's ochtends uit bed was gekomen met een door muggebeten opgezwollen, vrijwel dicht oog.

Overal stonden de deuren open. Aan de andere kant van de heg werd de radio aangezet, muziek van koperblazers klonk op, goedmoedig genoeg om Gerard te doen besluiten even om te lopen voor een praatje met Marinus.

'Maar wat ben je nou weer begonnen?'

Hij zat op zijn knieën naast een motor. Een schamel geval. Roestig. Lekke banden. De vloer was bedekt met onderdelen. Zijn overhemd stond open. De huid van zijn borst glansde zacht en wit, als van een vrouw.

Marinus keek op.

Hij heeft te hard gewerkt, dacht Gerard. Al wekenlang is hij zonder onderbreking in touw. Het was een rare kwestie. Men had een of andere overheidsregeling voor kunstenaars opgeheven. Het had in alle kranten gestaan. Marinus had erover gezegd: 'Ze laten de kunstenaars in leven, dat nog wel, maar ze mogen niet meer werken.' Maar Gerard had hem nog nooit zo hard aan die beelden bezig gezien als juist de laatste tijd.

'Ik ga die motor helemaal opknappen, Gerard,' zei hij.

'Dat zal een heel karwei worden.'

'Ja. Een heel karwei. Maar voor de winter is hij klaar. En dan vertrek ik. Hallo Lidy.'

Gerard keek om. Hij had haar niet aan horen komen. Ze had een papiertje in haar hand, er was waarschijnlijk gebeld over de computerlessen. Maar ook zij zag de motor en zonder twijfel had ze de laatste woorden opgevangen.

'Je vertrekt? Hoezo?' vroeg Gerard, zich weer omdraaiend. 'Waar ga je dan naar toe?'

Marinus ontweek zijn ogen. Hij keek naar de motor.

'Naar het zuiden,' zei hij.

En omdat zowel Lidy als hij zwegen, begon Marinus hun uit te leggen dat hij het hier wel gezien had. Dat een vriend van hem die in de Provence woonde – in een oude boerderij buiten St.-Rémy – nog wel ruimte voor hem had. Hij weidde nogal uit over de zon over de olijfgaarden over de cipressen en nogmaals over de zon.

Gerard merkte dat hij liever niet luisterde. Het onderwerp beviel hem niet en ook de doffe, verstrooide blik waarmee Marinus over hun hoofden heen naar buiten staarde, stond hem niet aan. Daarom begon hij maar te denken aan de computer die vandaag op kantoor was verschenen en aan de gratis lessen die de liefhebbers zouden krijgen, hij had als eerste zijn naam op de lijst gezet... Nu had Marinus het trouwens over iets anders. Hij was op het gemeentehuis geweest. Bij loket eenentwintig had hij een formulier moeten invullen. Er verscheen een woedende uitdrukking op zijn gezicht. En dan nog die vaalzwarte kringen onder zijn ogen, wie werkt er nou zo idioot lang achter elkaar?... De fanfare op de radio brak abrupt af, er klonk wat amateuristisch gekuch en daarna alleen nog maar een zachte pieptoon... Dat zal nog een hele klus worden om al die onderdelen te vervangen, er is een goeie sloperij in Diemen, maar grote kans dat de meeste toch niet meer te krijgen zijn... 'Ben je niet bang dat ze je ermee van de weg zullen pakken?'

Marinus keek hem recht in zijn ogen.

'Beroep dubbele punt, geen, Gerard! Opleiding dubbele punt, ongeschoold!'

Er viel een stilte. Naast hem klonk het bekende gesnuf van Lidy.

Toen vroeg Marinus opeens, zacht: 'Wat heb je toch aan je oog, Lidy?'

Ze streek met de rug van haar hand over haar gezicht.

'Een muggebeet. Het traant al de hele dag.'

Een windstoot bracht hem uit zijn evenwicht. Tot zijn afkeer beroerde zijn schouder die van de ander.

'Ho ho!' zei de man.

Het klonk tevreden. Hij bukte zich en stopte het formulier dat hij tegen de ruit had gehouden om er iets op te noteren in zijn aktentas.

De lucht betrok; de wind rukte aan hun kleren. Wankelende schuinsmarcheerders. Bij het huis van de buren was een zonnescherm losgeraakt. Knallend sloeg het doek tegen de gevel. De boom raasde. Een zeilschip waarvan niemand de touwen meer hield. Achteruitlopend keken de beide mannen ernaar. Het hoge zingen was goed te horen.

'Dat begint hier aardig te spoken,' zei de man.

Met rustige stap liep hij het paadje af en verdween, over het met grind bedekte erf van de villa verderop, naar de weg.

Hoe laat zou het geweest zijn toen het gebeurde? Vier uur? Vijf uur? In ieder geval nog niet helemaal donker. Lidy stond bij de tafel. Ze had de cassette met bestek te voorschijn gehaald en poetste met een gele doek de hele boel op. Gerard keek naar haar natte weke mond wanneer ze haar gezicht ophief om tegen een lepel te ademen.

Het was nog niet helemaal donker toen de boom omging. Er klonk een explosie en, kort daarop, een tweede. Het huis schudde. Een echo bleef nakreunen. De lepel viel op de grond.

In trance keken ze elkaar aan. Onmogelijk om te bewegen. Er vond iets ontzettends plaats, zij waren erin betrokken, zij waren dodelijk vermoeid en van geen enkel belang, wat er gebeurde was te omvangrijk om persoonlijk gedrag zelfs maar te overwegen.

Er gebeurde niets.

Voorzichtig verdraaide Gerard zijn hoofd. De muren stonden gewoon overeind. Achter de ruiten gutste de regen.

Hij zag dat haar kin begon te beven, raar en snel. Ze bukte zich en raapte de lepel op. Rood aangelopen kwam ze overeind. Haar ogen puilden.

'Het is bij Marinus!'

Ook nu was de deur niet afgesloten. Ze trokken hem open en bleven op de drempel staan. De boom was dwars door het dak gegaan en scheen de hele ruimte in bezit genomen te hebben. Ze stonden tegenover een aanwezigheid die in het halfdonker niet zozeer was te zien als wel te ruiken: een misplaatste geur van herfst, en te horen: een ongepast vertrouwd tikken van regendruppels op blad. Zoals zo vaak wanneer de klap eenmaal gevallen is: de wind was schijnheilig gaan liggen.

Gerard durfde het licht niet aan te doen, je kon niet weten hoe het met de elektrische leidingen stond.

'Ik haal de looplamp wel even.'

Nat tot op zijn huid kwam hij terug, het snoer achter zich uitrollend. Hij scheen met de lamp naar binnen.

Lidy sloeg haar hand tegen haar mond toen de lichtbundel de omvang van de catastrofe langzaam voor hun ogen beschreef. Het plafond was versplinterd, het bed ineengezakt, een zware tak had het keukenblok weggeschoven en de armzalige pannen op de vloer gesmeten. Al zijn spullen vernield... En met een huivering herkende ze het vod dat tussen de boom en het blad van de werkbank beklemd zat: zijn spijkerbroek vol olievlekken...

Ineens scheen het felle licht op de motor. Ze konden hun ogen niet geloven: puntgaaf! Als in een showroom waar men een wat groot uitgevallen bloemstuk heeft neergelegd, stond de blauwe machine tussen de takken te glanzen.

Ten slotte was ook de regen opgehouden. Even was het volkomen stil. Toen hoorden ze in de doodse lucht de voetstappen. Ze begonnen aan de weg, en betraden het grind bij de villa. Rustige, doelgerichte voetstappen.

Gerard begreep het meteen. Hij verstrakte.

'De deurwaarder!'

Ze staarde hem met openhangende mond aan.

'Wat!'

Toen volgde ze zijn blik en doorzag wat hij van plan was. Hij keek naar de motor. Ze klemde haar lippen opeen en knikte.

Hij hing de lamp aan een spijker en zocht even met zijn ogen. Er was maar één mogelijkheid: de dichte bladerenmassa aan de andere kant van de boom. Ze moesten de motor eroverheen tillen.

Het gewicht viel bar tegen. Lidy, schrijlings bij het achterwiel, klemde haar handen om de bagagedrager en Gerard in onhandige positie op de stam, pakte het stuur.

De naderende voetstappen stonden ineens stil. Ze stonden stil omdat ze tegengehouden werden, omdat Lidy en Gerard dat eisten: nog even, Gerard kreeg juist greep op het stuur en daar kwam de motor eindelijk omhoog. Geduld. Nog een paar seconden en je mag doorlopen, klootzak!

Op dat moment klonk de stem.

'Zo, gaan jullie het gezellig maken?'

Ze keken om.

In de deuropening stond Marinus. Vermagerd. Kalend. Bijna onherkenbaar, maar zoals altijd in dat soldatenjack. Terug uit de oorlog.

Zijn blik gleed over de geheimzinnig belichte boom die tot in alle uithoeken zijn atelier was binnengegroeid en een geur verspreidde, zo verheugend en kruidig dat eindelijk die andere geur, van het onderdrukte bloed, het onderdrukte leven, uit holten van zijn hoofd verjaagd werd; over zijn beelden die vanwege zijdelingse bezigheden in verband met zon met warmte met zon, al een heel tijdje veilig in de beschutting van de muren stonden en daarom op één na, de onaanzienlijkste, gespaard waren; en over de man en de vrouw die met schuldige gezichten zijn motor terug lieten zakken op de betonnen vloer.

COME-BACK

I

Van het vliegveld waren we direct de ruimte ingedoken. In de verre omtrek was geen stad te bekennen. Ik zat op de achterbank en mijn verbaasde ogen gleden mee met het landschap van akkers en kaarsrechte sloten. De aarde scheen nog maar net omgeploegd en zag er vruchtbaar, bijna eetbaar uit. Alles was vlak. De boerderijen die hier en daar oprezen en de laantjes populieren veranderden daar niet veel aan. Maar als ik mijn blik hoger richtte, zag ik de wolken drijven in keihard blauw en daar was niets vlaks aan.

Het was me allemaal bekend.

Toen vroeg Matthieu, mijn oom die de auto bestuurde: 'Hoe gaat het met je moeder?'

'Goed,' zei ik verstrooid.

We sloegen rechtsaf. Op de velden verschenen hoekige loodsen van baksteen, de gevels droegen namen als Faassen, Van Riemsdijk, Passchier. Aan de horizon ontdekte ik nu ook de groenachtige en witte glooiingen van de duinen.

Bekend.

'Is ze nog steeds zo mooi?'

In de spiegel ontmoette ik zijn ogen, blauw als die van mijn vader, maar heel wat goedmoediger.

'Ik kan je wel zeggen dat ik nog vaak aan haar gedacht heb, hoor. Wat een lieflijkheid, wat een elegantie. Zo'n vrouw neem je toch niet mee naar het andere einde van de wereld? Je neemt haar mee naar de opera, naar het Kurhaus, naar Parijs.'

Wat me bezighield had te maken met het blauw en de ruimte en dat was eigenaardig, want het land waar ik sinds tientallen jaren woonde, was nu juist opgebouwd uit ruimte en uit een veel bestendiger blauw.

Elisabeth, mijn tante, begon haar sigaretten te zoeken. Uit hartelijkheid zat ze een beetje schuin op haar stoel, naar mij toegewend. Vlak voor ze haar aansteker omhoogbracht, voorzag ik haar gebaren: het plooien van de oude roodgeschminkte mond, het toeknijpen van de ogen, het zijwaarts wegpuffen van de rook.

Ze keek me vriendelijk aan: 'Je moeder had iets heel bijzonders, Sophie.'

'Ze is de hobby van mijn vader,' zei ik.

Matthieu knikte stevig.

'Dat begrijp ik.'

'Er is in heel Sydney geen reumapatiënt te vinden die beter verzorgd wordt. Hij geeft haar op de minuut haar injecties, haar pillen. Van haar dieet wijkt hij geen gram af. Hij vergezelt haar naar ieder spreekuur. Hij eist de beste behandeling die er is.'

Wat ik Elisabeth en Matthieu voor ogen toverde moest hartveroverend zijn: het beeld van de bejaarde, aan zijn vrouw verknochte echtgenoot. Enfin, verknocht was hij inderdaad. Zijn wereld draaide rond twee polen: de whisky en de volmaakt verzorgde ziekte van mijn moeder.

Langs een riviertje reden we een dorp in. De huizen rechts van het water hadden elk een eigen bol gebogen bruggetje. Een torenklok wees tien uur aan. Ochtend in een Hollands dorp. Op een pad langs de weg fietsten vrouwen met peuters in stoeltjes aan hun sturen. Voor een schoolgebouw stonden kolossale tieners in boterhammen te happen.

Bekend.

De aanblik van het land. Het dorp. Van het blauw en de ruimte. Keek ik naar het landschap van mijn jeugd? Het kwam mij voor dat ik werd verwezen naar iets wat heel wat verder ging dan een persoonlijke herinnering. Verder ook dan het landschap zelf... Terwijl we stopten voor een oranje knipperlicht dat onhandig op een hellinkje stond – de enige die overstak was een manke bouvier –, begon ik te denken aan de mensen die hier thuishoorden, aan de generaties die met hun verlangens en spitsvondigheden dit landschap hadden verzonnen en in model geduwd.

Herinneringen? Die had ik ook. Maar als ik ze wilde zien, moest ik mijn ogen sluiten.

...Het regent al wekenlang. Er hangt een fijne nevel die nooit meer verdwijnt. Boven het land, boven de zorgelijke mensen ligt een soppende deken. Wordt daar gelachen? Wordt daar gezongen? (Nee, papa.) In huis zijn de ramen dicht. Herinneren jullie je de geur van jassen die altijd vochtig zijn? Dan heb je de straatjes, de pleintjes, de stinkende grachten. Wat, in godsnaam, speelt zich daar af? Het wordt donker. In het licht van een lantaarn scholen mensen samen. Ze onderhandelen. Als er een opkijkt, blijkt zijn gezicht ontstellend jong. Ook de kleumende meisjes bij het Centraal Station zijn nog jong…

'Dat land is verrot.'

Mijn vader zei het zachtjes. De luchtpostvelletjes ritselden in zijn handen. We zaten op het terras en hadden net geluncht. Elly en Janny waren blij dat ik er was; sinds ik met mijn gezin naar een ander gedeelte van de stad was verhuisd, zagen ze me niet meer zo vaak. Moeder leek afwezig. Ze had een zakdoek in haar vuist.

Hij keek op.

'Niet dat die snotneuzen van Matthieu nu allemaal hun eigen auto hebben, best, leuk voor ze, maar moeten jullie je dat voorstellen: in dat kleine land rijden acht miljoen auto's. Dat land bestaat helemaal uit snelwegen, uit één lange file, en wat overblijft is parkeerplaats!'

Ik keek toe terwijl hij verder las. Zijn roodbruine nek stak opvliegend uit de open kraag van zijn overhemd. De blonde wenkbrauwen klemden zich samen in een diepe frons. Ik wist dat hij zich tot het uiterste concentreerde. Dit was altijd een belangrijk akkevietje, de brieven uit Holland.

'Sophie!' Zijn ogen boorden zich in de mijne. 'Die jongen zat toch bij jou op school, Martien Alkemade? (Martien? Nee papa, die ken ik niet. Nooit een lange jongen gekend, uit klas VI^B, die Martien heette…) Nou, die is ook alweer gescheiden.'

Aha. Dat was de afdeling decadentie. Dat was het loslaten van elk normbesef in een over de kop gedraaide cultuur, waar wij, aan de rand van een felgroen gazon, onze hoofden over begonnen te schudden.

De brief lag terzijde. Uit het huis kwam de geur van koffie. Elly zette de whisky binnen zijn handbereik. Zij en Janny waren giechelig.

'Alkemade,' zei Elly.

'Vink,' antwoordde Janny.

'Witteman. De Groot.'

'Caspers. Heemskerk. Slats.'

Mijn vader schonk zich een welverdiend glas in. De opgave was gelukt. Het slechte nieuws was feilloos uit de brief gedestilleerd. Bevestigd was wat wij allen allang wisten: we zijn ontsnapt, verlost, we leven in waarheid...

Daar was Sassenheim. We reden door het oude centrum en namen de asfaltweg naar buiten. Toen volgden we het pad door de velden, passeerden een mooie nieuwe bollenschuur en bereikten het huis. Het oranje dak blonk in het zonlicht.

Ik stond buiten. Het waaide een beetje. Ik merkte op dat het blad van de populieren aan de rand van het erf al begon te verkleuren. Oktober. Populieren zijn er altijd het eerst bij. In de open deuren van de schuur stond een lorrie met gestapelde manden.

Deze geur kom je nergens anders tegen.

Aan tafel dronken we koffie. De oude mensen wisten dat ik moe was, maar ze wisten ook dat je altijd, altijd naar de foto's moet vragen. Het plastic boekje zat in mijn tas.

'Dat is Rick.'

Toen ik de foto nam, keek hij juist op. Afwerend, zag ik nu ineens. Een man van veertig met een vierkant gezicht en een smalle Ierse mond. Bij de hoeken lagen schaduwen die ik nooit begrepen had.

'Hoe is het met hem sinds het ongeluk?' vroeg Matthieu.

'Goed,' zei ik. 'Sinds een halfjaar werkt hij weer. Als conciërge van een school.'

Het volgende plaatje.

'Jessica.'

Jessie, mijn dochter. Ik heb haar overgehaald te lachen, maar de wrevel – de moeder die de zoeker op haar richt – is al maandenlang niet uit haar ogen verdwenen. Ten slotte is ze gaan samenwonen met die man, die vroegere leraar van haar, die kerel van vijftig met twee afzichtelijke wratten in zijn nek.

Matthieu bromde goedkeurend. Jessica is mooi. Ik sloeg om.

'Jamie.'

Een jongen op een bromfiets tegen een achtergrond van vetplanten. Leuk om te zien.

'Hoe oud is hij?'

'Zestien.'

Als baby lachte hij niet veel. Pas toen hij drie was, begon hij me aan te kijken, het was een enorme schok: met rustige verbazing keek hij me aan. Daarna ging het steeds beter. Er zijn scholen voor dat soort kinderen. Nu is hij zestien en dat zal hij blijven.

Elisabeth en Matthieu lachten naar me, ze prezen mijn gezin, maar ik voelde een ongewoon soort moeheid, misschien wel een begin van paniek. Ik klapte het boekje dicht, duwend met mijn vlakke hand, zoals je een deur die niet goed sluit, aandrukt.

Even later was ik alleen. Mijn kamer was ingericht als een hotelkamer, gerieflijk en onpersoonlijk. Ik was er dankbaar voor. 'Je bent vermoeider dan je denkt, Sophie,' had Elisabeth gezegd. 'Neem een douche en ga een paar uur slapen.' Ja, dat zal ik doen. Slapen.

Ik droogde me af voor de spiegel. Niets zou me vertrouwder moeten zijn dan de borsten met de kleine tepels en de kleine bruine kringen, dan de buik en de heupen, de mond: vol, echt niet zo gek, maar een beetje beverig. Daar stond ik ineens te huilen.

Er is iets met me: hoe vaak had ik dat al gedacht? Zolang ik mij herinnerde. Rick kende die buien. Dan haalde hij mij over met hem de stad uit te gaan. Aan zee liepen we vlak langs het uitvloeiende water. Onder een rieten afdak dronken we donkere Engelse thee. We zwegen. Hij had allang opgehouden te vragen: 'Sophie, waarom ben je zo treurig?'

Ja, waarom?

Ik liep naar het raam. De wolkenformaties waren al weer heel anders dan een paar uur geleden. Ik bekeek de optocht van sneeuwwitte fabeldieren nauwlettend. Natuurlijk had ik het altijd geweten. Het land in de regen, in de mist... de toekomst van onze kinderen... Wanneer je bestaan is ingeklemd door twee leugens – je afkomst en je toekomst – dan kun je toch niet anders dan treurig zijn? Wanneer je in de stationcar de kinderen van school haalt, wanneer je op lauwe zomeravonden kijkt naar je man die de gloeiende houtskool uitspreidt, wanneer je voor

de spiegel je best doet om je haar kaarsrecht af te knippen, wanneer je bij alles steeds hebt geweten dat je op slinkse wijze een
beschamende opdracht in je schoenen geschoven hebt gekregen, dan heb je soms ineens de bokkepruik op.

Is het mogelijk om zo 'waar' te leven, dat ook de leugen die
aan het begin staat geldig wordt?

Op een mistige ochtend in november was zij begonnen, de
toekomst van onze kinderen.

2

Naast mij stond een man luidkeels te huilen. Ik bekeek hem
nieuwsgierig. Snot en tranen hadden de vrije loop over zijn gezicht. Hij zag er anders gespierd en flink genoeg uit, met rode
knuisten die zich om de reling spanden. Om een wijsvinger zat
een ring met een platte bruine steen.

Maar deze man was een uitzondering. De meeste passagiers
staarden vastberaden voor zich uit, zoals hoort voor bekeerlin-
gen. De huilers stonden aan de andere kant, op de kade. De
kleine menigte zag er in de mist grauw en deerniswekkend uit:
de achterblijvers, de versmaden.

Onder mijn voeten begon een zacht beven. Er kwam beweging in het schip. Klankstoten overstemden plotseling het
zwaaien en roepen. Het was het soort geluid dat zich vibrerend
in je borst voortplant en je de adem beneemt. Nu had men niets
meer in te brengen. Hogere machten namen het leven over.

Van de huilebalk keek ik naar de ernstige correcte rug van
mijn vader. Hij had Elly op de arm. Naast hem stond mijn moeder. Haar gezicht was doodsbleek. Met vlugge bewegingen
streelde ze het haar van Janny die tegen haar been leunde. Ze
zond me een wazige glimlach die ik niet beantwoordde.

Ook tegen Kees, mijn broer, zei ik niets toen hij me aan-
stootte en wees: 'Moet je kijken!' Op een van de pieren stond
een figuurtje dwaas met beide armen te zwaaien: mijn oom
Matthieu.

Mijn blik was volmaakt onverschillig. Nu goed, bij deze
mensen hoor ik voortaan. En verder? Verder niets. Heel prettig. Die snikkende man is een aansteller. Dat zie je toch niet

vaak, een volwassen vent die zo staat te janken. Ik ben zestien jaar en keihard. Ik heb geen herinneringen. Precies vandaag ben ik klaar met afrekenen.

Het was stilletjes begonnen. Onze meubels gingen de deur uit. Spiedende ogen selecteerden de stukken: de leunstoelen, de tafel, de bleekroze gekapte schemerlamp, en ook de gangspiegel die in werkelijkheid het portret van mijn moeder was, slank in haar grijze mantelpak terwijl ze het gaas van haar hoed schikte. Mijn vader was onvermoeibaar. Nooit had ik geweten dat hij deze kwaliteiten bezat: 'Jawel, voor vijftig gulden meer krijgt u het kleed erbij.' Ik keek naar zijn brede verkopersgebaren en wist dat het moment naderde waarop ik zou moeten afrekenen met mijn diepst gekoesterde, kilste zekerheid: deze man is mijn vader niet, ik hoor niet in dit gezin.

Daarna kwam het echte afscheid. Het pijnlijke ritueel om bij leven en welzijn voor altijd vaarwel te zeggen. Moet je lachen? Moet je huilen? Er sterft toch niemand? Nee, wij leven voort in een ander bestaan. We vertrekken. Niet omdat het niet leuk was met de familie, niet omdat ik niet hield van de lerares met haar gestroomlijnde zeehondegezicht, van de verlegen, serviel grijnzende schoenmaker, het dubbeltjesmannetje, maar omdat... en op een dag zei mijn broer Kees aan tafel: 'Freek wil het konijn wel hebben.'

Ik keek naar mijn bleke hand op het bleke tafellaken en zei: 'Goed.'

Het reusachtige dier woog zwaar in mijn armen. Ik legde hem in een doos met stro. Terwijl hij zijn oren plat legde om ze door mij te laten strelen keek hij me nog maar eens aan met dat oog, dat kalme oog vol mysterieus weten.

Ten slotte was er Martien. Een lange jongen die twee klassen hoger zat. Hij speelde klarinet in een jazzbandje, zou over een jaar medicijnen gaan studeren en was razend populair. Mijn vriendinnen fantaseerden over hem. Ze vertelden me verbazingwekkend pikante details over wat ze zouden doen 'als', maar hielden daarmee op toen bleek dat hij verliefd op mij was. Ik was vereerd, ging een paar keer met hem naar een schoolfeest, maar, vreemd genoeg: hij kon zijn vervoering niet op mij overbrengen. Ik vond hem domweg 'leuk'.

Twee dagen voor we zouden vertrekken kwam ik tot de conclusie dat ik niet mee wilde. Ik stond in mijn kamer en greep naar mijn keel. Blinde wanhoop had mij besprongen. Ik wist dat het te laat was. Mijn kleren waren weggedaan of ingepakt, mijn kamer was ontruimd op het divanbed na. Een halve middag lag ik ineengerold te huilen. Daarna stond ik op en waste mijn gezicht, dat er opgeblazen en rood uit bleef zien. Uit de schuur pakte ik de onverkoopbare fiets van Kees.

Ik reed door de stad. Mijn wanhoop was niet verdwenen, maar ik had begrepen dat het zinloos was er vorm aan te willen geven.

Toen zag ik Martien.

'Hé, hoi!'

Ik had abrupt geremd en was als een ezel met stijf gestrekte benen aan weerszijden van de stang blijven staan.

Hij begroette me verheugd en vroeg of ik al klaar was met pakken.

'Ik wil met je naar bed,' zei ik.

Mijn woorden bevielen me. Ze klonken fantastisch goed: weloverwogen en doodgewoon. Het viel me op dat zijn ogen niet bruin waren, maar donkergroen, met om de pupil een gouden kartellijntje. Als bij gloeilampen.

Eerst verschoot hij van kleur. Ik zag dat hij sneller ging ademhalen.

'Laten we wat gaan drinken,' zei hij.

'Best.'

Ik zwaaide mijn been over het zadel en hij zette mijn fiets tegen de gevel van Heck's.

Op het podium speelde een bandje. Hammondorgel, trompet, viool. De musici droegen felrode blouses. Ik dacht dat ze *Remind me* speelden, maar Martien zei dat het *Out of this world* was.

Er was nog niet veel publiek. We gingen zitten in een zijnis, op roodfluwelen banken.

'Wat wil je drinken?' vroeg hij. 'Koffie?'

'Nee, geef mij maar een rumcola.'

Hierna beraamden we ons plan. Hij zou die nacht om twaalf uur komen. Bij ons in de straat sliep dan iedereen. Via het balkonnetje zou hij mijn kamer inklimmen. Het was doodeenvoudig. Ik had het zelf talloze keren gedaan.

Voor de draaideur namen we afscheid. Hij legde zijn hand onder op mijn rug en duwde me tegen zich aan. Terwijl we elkaar kusten als minnaars, werden we omver gelopen door een chagrijnige man met een hond.

'Tot straks,' zei Martien.

's Avonds regende het. Ik stond bij het raam en keek naar de trillende plassen op straat. Onder een lantaarn glansden olieachtige kleuren.

Mijn kamer achter mij was een kloostercel. Met een kale vloer, een vergeten crucifix boven de deur en het als altijd door mijn moeder kuis opgemaakte bed. Ik wachtte geduldig. Wat ik had besloten was volmaakt. Na deze nacht zou ik niet meer dezelfde zijn. Ze konden me meenemen naar het andere einde van de wereld, ik zou nooit meer bij ze horen. Als ze naar me keken, als ze met me praatten: ze zouden niet weten wie ze in werkelijkheid voor zich hadden. En het allerbeste zou zijn als in zwanger werd...

Ik trok een speld uit mijn haar en kerfde diep in het zachte hout van de deurpost een hartje met een pijl, en vervolgens onze initialen: m... s... Eerst gaan we met elkaar naar bed, dacht ik, en daarna moet hij met zijn hoofd op mijn borst in slaap vallen. Ik wil nergens over praten.

Een voor een doofden de lichten in onze straat. Alleen de lantaarn aan de overkant bleef een dofgele lichtcirkel omlaagwerpen.

Toen zag ik hem. Opgedoemd uit de duistere zijstraat. Hij droeg zijn donkerblauwe monty-coat. Haast had hij bepaald niet. Er was iets eigenaardigs aan zijn gang. Hij liep voorovergebogen, een beetje log. Bij de tweedehandsboekwinkel tegenover ons huis bleef hij staan en keek in mijn richting. Schiet op, dacht ik met mijn neus tegen de ruit, sta me niet zo hartverscheurend aan te staren! Plotseling kromp hij in elkaar en holde weg. Op de hoek, onder het lamplicht, draaide hij zich half om en maakte een haastig gebaar: hij schudde zijn vuist.

We voeren de Nieuwe Waterweg af. Er stonden nog maar weinig mensen aan dek, de meesten waren begonnen met het ver-

kennen van de lounges en de hutten. Wie was gebleven was stil
en staarde naar de schepen die ons links en rechts passeerden,
verlicht als kerstbomen en waarschuwend met hun misthoorns.
Behalve de kranen en loodsen vlak op de kaden was er van de
oevers nauwelijks iets te zien.

Het was volkomen windstil. Bij Hoek van Holland werd de
mist nog dichter. Een overvloed aan licht- en geluidssignalen
wees ons de weg naar zee.

Maar de kust zag ik niet verdwijnen. Mijn land van herkomst
gleed weg in de nevels alsof het nooit werkelijk had bestaan.

3

Elisabeth zei: 'Dat is de Annabella. Bekroond in 1938. Matthieu wilde een ongewoon rank exemplaar kweken. Maar zoals
je ziet: ze is toch weer heel stevig uitgevallen.'

We keken naar de ingelijste foto op de boekenkast in Mat-
thieus werkkamer. Het was een uitvergroting, oorspronkelijk
zwart-wit, die naderhand was ingekleurd. De dik opgelegde
tinten gloeiden als emaille.

Afgebeeld was een jong meisje met een ovaal gezicht en een
smalle neus. Haar mond had men dezelfde kleur gegeven als de
bos kloeke tulpen die zij tegen haar borst uitspreidde. Bleek-
oranje. Ik keek naar een jeugdportret van Anna, mijn moeder.

De kamer baadde in zonlicht. Stofdeeltjes fonkelden tussen
de ordners, de prospectussen en de opgespietste facturen.
Elisabeth liep naar het raam en reikte naar het koord van de
jaloezie. Ze keek naar buiten en zwaaide. Ik ging bij haar staan
en zwaaide ook.

Matthieu was met zijn zoon de bollenschuur uit gekomen.
Ze liepen over het pad en grijnsden naar boven. Het was opval-
lend hoe die twee op elkaar leken. Dezelfde onbekommerde
zwaarlijvigheid, dezelfde gladde, haast tedere roze wangen.
Ook hun leeftijden leken niet ver uiteen te lopen. Toch moest
Matthieu tegen de zeventig zijn en was Harmen van mijn eigen
leeftijd, achtendertig. Elisabeth en ik keken toe hoe de twee
mannen hun fietsen pakten en op hun dooie gemak, met de
klompen naar buiten gericht, wegfietsten tussen de velden.

Iedere ochtend werkte Matthieu nog mee in het bedrijf dat allang was overgenomen door zijn zoon. Nooit stond hij later op dan zes uur. Voor hij tegen achten het huis verliet bracht hij zowel Elisabeth als mij koffie op bed. Hij schoof het gordijn een eindje open, wreef zich in de handen en zei op bijna onbehoorlijk verheugde toon: 'Moet je toch weer eens zien, wat een dag!' Ik rekte me uit in mijn witte pyjama en zag boven zijn hoofd een stuk verschoten grijs, een zeilende wolk violet, of een wazig inktblauw gebergte.

'Hij was weg van haar,' zei Elisabeth terwijl ze de jaloezie omlaag liet suizen. 'Maar zij gaf de voorkeur aan zijn broer, de officier. Zij viel op jouw vader.'

Opnieuw keek ik naar het lieflijke plaatje. Meisje met bloemen. Ondanks haar glimlach stonden haar ogen ernstig. En dat klopte. Als je zo jong was, en je had zo'n zachte kaaklijn, en er waren twee mannen, twee broers, die van je hielden, dan was je gelukkig.

En geluk, wel, volgens mij was geluk een serieuze kwestie.

…'Het is de beste manier om de bevolking te leren kennen.'

Ze stond in de deuropening en knikte. Sinds we hier waren was ze zwijgzamer dan ooit. Ook was ze erg mager. Ze droeg een klokrok die een beetje scheef hing en een groene blouse met een schootje. Geen mooie kleren. Toch vond ik haar helemaal niet het type van een dienstbode.

'En denk ook eens aan de taal.'

Daar had hij gelijk in. De taal gold hier als de grootste hindernis bij het krijgen van werk. Toch had hij, met zijn overkeurige officieren-Engels, het nog niet verder gebracht dan aardappelsjouwer.

In zijn hemdsmouwen zat hij aan tafel te roken. Rood. Onverzettelijk. Zeker van de weg die wij te gaan hadden. Ik had het gevoel dat hij de ruimte tot op de centimeter in beslag nam. De hutkoffers en de schamele meubels waren te verwaarlozen. Wenste ik hem dood? Natuurlijk niet. Elke wens was luxe. Ook deze. Voorlopig hield ik het alleen maar niet uit in deze door een krankzinnige zon doorschenen barak.

Ik stapte langs mijn moeder heen naar buiten.

Het immigrantenkamp Bathurst op het heetst van de dag. Op een ontmoedigende urenlange treinafstand van Sydney, de stad waar iedereen hier het op gemunt had. Dat hadden de autoriteiten nu eenmaal zo geregeld. Lastig, maar wie had er wat in te brengen?

Versuft liep ik langs de schuttingen en het overdadig uitgehangen wasgoed. Overal hoorde ik Nederlands. Ik rook de geur van hutspot en geteerd hout. En op een eigenaardige manier, zoals je dat ook wel hebt in dromen, was hij dat allemaal: mijn vader. Hoe kan ze? Hoe kan ze? ging het door mij heen, en ik doelde niet op het baantje.

Toen ik terugkwam was er thee gezet. Mijn vader schonk in. Het was duidelijk dat de zaak beslist was. Zij zou als eerste het belangrijkste dogma van ons nieuwe geloof gaan belijden: een vast inkomen verdienen. Dienstbode voor dag en nacht.

Hij bracht haar naar Sydney, de volgende ochtend, en toen hij 's avonds laat thuiskwam wilde hij niet veel vertellen. Hij zei alleen maar: 'Het zijn heel aardige mensen.'

's Middags wilde ik familiefoto's zien. Elisabeth begreep mij en bracht alleen de oude albums. Ik speurde ze snel door. Ik was op zoek. 'Hij was weg van haar.' Die ochtend was er een oud motief in mijn hoofd opgekomen. Inderdaad kwam ik een kiekje tegen van Matthieu en mijn moeder, stevig gearmd. Beiden droegen een Volendams kostuum en lachten dom. Op de volgende bladzijde grijnsden Elisabeth en mijn vader me aan. Ook in mallotige pakken. 'Kermis in Sassem. 1939,' stond erbij.

Ten slotte trof ik een foto van mijn vader. Het was een studio-opname die kort na de oorlog moest zijn gemaakt. Zijn wangen waren hol, de mond ernstig. Aandachtige ogen. Hij droeg een kind op de arm, een meisje van een jaar of drie, dat schaterlachte (waarschijnlijk om het speelgoedkoebeest dat ze in haar handen hield en op het moment van de flits boe! moet hebben geloeid).

Maar mijn vader en ik kijken niet in de lens. Wij kijken naar een punt, hoger, verder weg, en oneindig veel boeiender dan de strapatsen van een vreemde onder een zwart doek.

4

Spoedig nam ik de plaats van mijn moeder in en begon er voor mij een leven dat gewijd was aan de vrouw van een tandarts, zijn vier kinderen en Mr. Hill zelf. Het was een leven van regelmaat. Bij het ochtendgloren liep ik door de buitenwijken van Sydney, om zeven uur begon mijn dienst. Ik leerde pap koken en kinderen verzorgen, ik raakte bedreven in het luchten en opkloppen van dekbedden, het neerlaten van zonneschermen, het rangschikken van speelgoed, ik ging de werking begrijpen van een elektrisch fornuis, een grill, een speciale oven voor cakes en taarten, waarop algauw de gerechten zelf volgden: zalm met citroensaus, gevulde lamsbout, lekkere snel gemaakte bananetaart. 's Avonds om acht uur, als de afwas was gedaan, wandelde ik naar huis.

Naar huis. Ja zeker. Een prefab houten huis in een industriewijk buiten Sydney. Geen elektriciteit, maar wel een wastafel. Het was in drie maanden tijd door mijn vader en door Kees neergezet. 's Avonds installeerden wij ons op de veranda, de theepot op een spiritusstel. We luisterden naar mijn vader, die als hij niet te moe was – hij had werk gevonden in een garage – praatte over de toekomst.

De toekomst? Was dit niet de toekomst? Voelden wij dan geen vaste grond onder de voeten met de lichtjes van de stad zo heel vlakbij? Eens kijken: Kees gaat naar High School, zoals hoort voor een veertienjarige, Elly en Janny spelen in de zon en worden 's avonds door hun moeder in bed gelegd en verrukkelijk geknuffeld, en zij, Anna, kamt haar haren en ruikt naar zeep als ze buiten komt, en het zou toch te ver gezocht zijn te vermoeden dat het heimwee zich al in haar bloed heeft genesteld, en dat alles wat zij aanraakt stilletjes ineenkrimpt, verkleurt, bederft... Dan, wat mijzelf betreft...

De dagen verliepen. Ze verliepen zeer snel en ik was de laatste om ze tegen te willen houden. Wat op gang was gebracht, mijn toekomst, werd in snel tempo aan mijn voeten gelegd. Alsjeblieft: een jaar. Een afgekloven, maar nog heel begeerlijk bot. En weer, voor ik er erg in had: 'Gelukkig Nieuwjaar!' We stootten onze glazen tegen elkaar en keken op de klok. Buiten bleef alles stil.

Op een dinsdag merkte de vrouw van de tandarts dat haar bevelen niet werden opgevolgd. De felle zon vernielde de planten. Toen ze na het boodschappen doen thuiskwam werd de voordeur geopend door een slaperige immigrante die op blote voeten uit de tuin kwam. In de oven stond 's avonds een rare schotel met bonen en worst.

Donderdagavond vroeg mijn vader waarom ik niet naar mijn werk was gegaan.

Ik haalde mijn schouders op.

'Bevalt het werk je niet meer?'

'O ja, ja. Jawel.'

'Ze betalen je in ieder geval fatsoenlijk.'

Stilte.

'We redden het toch goed?'

Zijn stem klonk geknepen. Vals.

Toen hij begon over de opofferingen, de voldoening, het steeds dichterbij komende succes, barstte ik in snikken uit. O, ik mocht hem niet. Ik had hem zo verschrikkelijk door. Zijn bekering was eenvoudig geweest, een heerlijk moment van inzicht. Maar de heroïek die daarna vereist was: slepend, veel te lang, levenslang…

Hij werkte inmiddels in een polyesterfabriek. 'Inspector' noemde hij zich in zijn brieven naar Holland. Hij was gestopt met roken. Nog steeds verbood hij zichzelf en mij om de bus te nemen. Maar er was elektriciteit in huis, en zelfs telefoon. De medicijnen van mijn moeder werden betaald.

Hij hield zijn mond. Even later werd er steels iets bij mijn elleboog neergezet. Een schuldig kopje thee.

Ik mocht een weeklang thuisblijven.

Daarna ging het een tijdje heel goed. Ach, zo moeilijk was het toch ook niet? Opstaan. Lopen. Het pad met de Chinese rozen. De kinderen. De kleren van de kinderen. Het assortiment tennis- en softballschoenen. Het assortiment tennis-, polo- en softballshirts. Alles compleet. Nooit geweten dat zoveel dingen zo compleet konden en moesten zijn. Haarbanden, sokken, handschoenen, maskers met tralies, schattige kleine rackets in klemmen. De lunch op het terras. Het vloeiend Engels spreken. De lunch op het terras: Mr. Hill die een jonge assistent begon mee te brengen. Twee kalme bolle lenzen die mijn bewegingen gingen volgen. Verschillende voorwerpen die vielen (waaronder een roomwit onvervangbaar suikerpotje). De zon, soms de regen, maar altijd de slaap in de namiddag. Sophie! Opkijken, glimlachen. Sophie! Komen, glimlachen. Sophie! Sophie! Sophie… Het pad met de Chinese rozen. Lopen. De veranda. Het bed.

'Mag ik volgende zondag mijn vriend meenemen?'

Het moment was niet best gekozen. Mijn moeder lag op de divan met een vochtige doek op haar voorhoofd. Mijn vader zat bij haar en staarde met opgetrokken wenkbrauwen naar het glas dat tussen zijn vingers schommelde. De whisky had een voorlopig bescheiden entree in ons huis gemaakt. Ze waren die middag op bezoek geweest bij Hollandse kennissen. Ik vermoedde dat er een typische emigrantendiscussie was opgelaaid over de harde mentaliteit van dit land, over de macht van de vakbonden, over het al of niet opgeven van het Nederlanderschap. Te oordelen naar zijn rode nek had mijn vader zich danig opgewonden.

Zijn bloeddruk liet mij echter onverschillig. Ik was heel zelfverzekerd. Heel kalm. De avond tevoren was ik ontmaagd.

Hij schoot overeind.

'Wat?'

Hij vuurde een aantal vragen op mij af, waaronder een hoopvolle: of het de assistent van Mr. Hill betrof.

'Nou nee,' antwoordde ik. 'Rick werkt in een bakkerij.'

Ik stak van wal over zijn plannen om voor zichzelf te beginnen. Hij had al iets op het oog, en… maar mijn vader wilde andere dingen weten.

'Waar heb je hem ontmoet?'

'O, gewoon. Op straat.'

Nu schoof ze het kompres van haar voorhoofd weg. Ze keek me leeg aan. 'Op straat,' herhaalde ze verbaasd.

Inderdaad. Heel banaal.

Rick vertelde mij later hoe het voorval was verlopen.

'Herinner je je de dag dat wij elkaar ontmoetten?' vroeg hij.

(Ach jawel. Natuurlijk.)

'Ik was vroeg naar mijn werk gegaan, en ik keek naar je uit.

Ik wist dat ik je zou tegenkomen.'
'Dat komt omdat je een Ier bent.'
'Dus ik zag je lopen en dacht meteen: wat een leuk meisje.'
'O?'
'Maar nu, achteraf weet ik pas wat me trof. Je liep zoals een jongen, die ik vroeger gekend heb, deed, toen hij op een school-feest ineens naar voren gevraagd werd om een goocheltruc te doen. Er was iets in je schouders, iets van concentratie, van te-genzin…'

Hij kwam naast mij lopen en zei domweg dat het volgens hem beter was om vandaag niet te gaan werken. Geen van bei-den. Er was namelijk iets met de lucht. Hij hield mij staande, keek mij kalm in de ogen en zei: 'Dat moet jij toch ook voelen.'

Inderdaad, ik voelde het ook. De lauwe ochtend was als een bord frambozen, als een zijden pyjama, als het oppervlak van een jong kaasje. Ik had nog nooit zulke donkerblauwe ogen ge-zien.

Mijn vader bekeek me vol afschuw.
'Wat heb jij gisteravond uitgespookt?'
Hij had inmiddels begrepen dat mijn sinds kort zo geliefde avondwandelingen tijd, plaats en handeling hadden gekend.

Ach, wat valt er te zeggen over die dingen? Hij was lief ge-weest. Maar waarom weet ik niet: ik had lief nooit met liefde verbonden. Wij hadden op het strand gelegen; naast een verla-ten paviljoen was een ondiepe kuil, heel geschikt. We trokken maar een paar kledingstukken uit, een ceintuur, schoenen, een slipje. Het zand tegen mijn benen was zacht en vertrouwd. Heel voorkomend vouwde hij mijn tentje open. En ik wou best. Ik wou best, dat was de kwestie niet. Dus toen een en an-der zonder noemenswaardig geweld verliep, vond ik het eigen-lijk wel een leuk gevoel, zo helemaal opgestopt te zijn. Het was zijn gezicht, vlak boven me, dat me beklemde. Zijn wijdopen ogen boorden zich zo sprakeloos en langdurig in de mijne, en ze schitterden zo bijzonder vreemd, eerder als van een dier, dat het was alsof er iets heel droevigs gebeurde.

Maar wat hij na afloop zei, was helemaal in orde. We rookten een sigaretje en staarden naar de zee. Ik had mijn armen om mijn knieën geslagen en moet wel afgestemd zijn geweest op de frequentie van het gedreun van de golven, op het temperatuur-

loze zand, op de rechtzijdige driehoek van een vlucht vogels,
want ik had het gevoel dat ik wist waarom alles zo was als het
was.

'Je bent de mooiste vrouw van de wereld.'

'We hebben gepraat,' zei ik.

Er klonk een harde klap. Ik schrok op. Hij had met zijn hand
op tafel geslagen en griste nu, op het laatste nippertje, het glas
bij de rand weg.

'Hij komt hier de deur niet in!'

Maar het klonk vermoeid. Zonder overtuiging. Hij draaide
zich om. Zijn arm aan de opgetrokken schouder dwaalde over
tafel en vond de kleverige fles. Heel secuur goot hij een bo-
dempje in het glas uit. Het was de medicijn voor mijn moeder.

Zes weken later was ik zwanger.

5

Waarom was ik naar Nederland gekomen?

Over een brug suisden we de Flevopolder uit. Rechts Amsterdam, links Amersfoort. Daarna moest het wat kalmer. Er
was een file. Achter transparante schermen golfde de hoog-
bouw van de Bijlmer. Het leek een weerspiegeling uit vervlo-
gen tijden.

Joos, mijn nicht, zat groot en blond achter het stuur van haar
'ketse wagentje'. Ze hield van tempo. 'Ik zou graag iets volkomen onbekends zien,' had ik haar door de telefoon gevraagd.
Ze leek verheugd dat ik niet uit was op een avondje praten.

Op de heenweg hadden we informaties uitgewisseld. Ik
hoorde dat ze was gescheiden, dat ze werkte bij het ruimtelabo-
ratorium Estec, dat ze drie kinderen had. De twee dochters stu-
deerden in Leiden en reisden in hun vakanties de halve wereld
af. De vijftienjarige zoon woonde bij haar en was lastig.

'Denk je ook niet,' zei ze, 'dat de puberteit niet het probleem
van het kind is, maar, heimelijk, dat van de moeder? Ze schaamt
zich een berin te zijn die haar jong zat is en hem dolgraag het
bos in wil duwen.'

Ze had me meegenomen naar de Flevopolder.

'Gloednieuw,' zei ze terwijl we door het riet stapten. Ze vertelde me dat hier reeën moesten zijn en heel zeldzame vogels. Ik liet mijn blik over de blonde vlakte dwalen. Het blauw. De wolken. De zonbeschenen vrouw die neerzeeg en een tas begon uit te pakken. Twee meisjes die buiten spelen, brood mee. Alles was me tot in de kleinste details vertrouwd.

Net zo vertrouwd als de huiskamers waar ik de afgelopen veertien dagen was geweest. De gezinnen van mijn neven en nichten leefden hun ingewikkelde hedendaagse levens, precies als dat van mij. En de ooms en tantes hadden hun kwalen en humeuren als alle oude mensen. Er had hier geen catastrofe plaatsgevonden.

Natuurlijk niet. Een jaar of twintig was verstreken. In vredestijd is dat te kort om een cultuur omver te werpen. En dat had ik kunnen weten. Er waren tenslotte brieven gekomen. De bedrevenheid van mijn vader om tussen de regels door te lezen had ik mij nooit eigen gemaakt. Ik was trouwens niet naar Nederland gekomen om de oude stijfkop in het ongelijk te stellen. Maar waarom moest hij me hier steeds voor de voeten lopen?

We reden Noordwijk binnen. De trambaan was verdwenen. De weg verbreed. In plaats van bomen stonden er lantaarnpalen.

Joos was aan het woord.

'Ik zei tegen hem: u bent net een varken. Ik kreeg een geweldige klap om mijn oren, van wie weet ik niet meer, maar je vader brulde van het lachen. Hij pakte mij op en smeet mij in zee.'

Ze parkeerde haastig en wij stapten uit. We gooiden de portieren dicht. Al haar handelingen waren buitengewoon energiek en ik paste mij aan. Terwijl we de trap van haar flat bestormden zei ze: 'En ik bedoelde het ook complimenteus. Hij had dat royale, dat krullerige, van het varken uit Tielse Flipje.'

Haar woonkamer had grote ramen.

Eerst was er een weitje met koeien en een ezel, daarachter, schuin oplopend, een weg waaraan een politiebureau, een huis en een café lagen en ten slotte was er boven op het duin de watertoren. Verder kon je niet kijken. De zee was verborgen.

'Kijk.'

Ik volgde haar wijzende hand.

In de verte lag als een eiland tussen de bollenvelden een enkel straatje. Daar bevond zich haar ouderlijk huis. Nog steeds. Er tintelde iets in mijn vingers. Ik wist hoe het daar rook. Ik kende de verschillende tinten wit van het wasgoed in de achtertuinen. We hadden er vaak gelogeerd. Dat grote gezin was gewoon een eindje opgeschoven in bed, had wat stoelen uitgeklapt aan tafel en onze strandvakantie begon.

De zon scheen hard op de daken. Ik haalde diep adem. Weer was er niets veranderd. Ik was als een archeoloog die plotseling merkt dat ze in Pompeji niets weten van onze pathetische visie op hun geschiedenis. Ze zijn gewoon doorgegaan met dansen en spelen. De ramp is niet gebeurd.

Mijn blik gleed terug naar de watertoren op het duin. Nu kon ik toch een heel stuk verder kijken. Ik zag een luidruchtige man in een bruin badpak. Hij stond in de frisse schuimende golven en smeet een mager meisje in zee dat gilde van verrukte angst. 'En ik! En ik!' riep ik. Hij keek om, lachte en greep me beet. Toen smeet hij ook mij.

Bruno, de oudste broer van mijn vader, was tachtig jaar geworden. Hij woonde in Oegstgeest. De kapitale villa was die zondag de beste kroeg van de buurt. Het halve dorp was er. De hele familie was er.

Slenterend door de gangen en kamers zag ik overal bekende gezichten. En omdat er voortdurend jongemannen opdoemden met bladen vol glazen zag ik er steeds meer.

Spiegels en palmen. Een marmerbetegelde hal. Gewreven meubelen. De middag was een dikke ouderwetse familieroman. De hoofdstukken werden niet opeenvolgend geschreven, maar allemaal tegelijk. In de cadans van dialogen overheersten de tragedies, want feesten maken de wereld ruim, transparant zelfs, en zijn dus een beste gelegenheid voor werkelijk, diep gevoeld medeleven.

Ik luisterde naar Barbara, de jongste dochter van Bruno. Mijn ogen prikten. Ze vertelde over de dementie van haar moeder. Als haar man te dicht bij haar in de buurt kwam sloeg ze hem met een stok. Ik keek naar het grijze heertje in de verte en dacht: wat zou ze tegen hem hebben? Wat is haar heimelijke wrok? Maar dat was niet het ergste, vertelde Barbara. Iedere ochtend werd ze huilend wakker. Ondraaglijke, verschrikkelijke buikpijn.

'Goeie god,' zei ik, 'daar is toch wel wat aan te doen?'

Barbara schudde haar hoofd. Mooi, dik krullend haar, viel

me op. En zeer grappige oorbellen. Felgeel.

'Nee. De pijn is niet echt. Het is een herinnering. Als jong meisje had ze last van hevige menstruatiepijnen.'

Ik snoot aangedaan mijn neus. Wat een schrijnend, nog levend verleden. Ook Barbara moest haar zakdoek even pakken. We dronken van onze port. Daarna glimlachten we: het is prettig om verdriet te hebben en je toch zo warm en licht te voelen.

Op mijn beurt liet ik me niet onbetuigd. Ik begon over Rick. Barbara was verbaasd toen ik vertelde dat hij conciërge was van een technische school.

'Ik dacht dat hij bakker was.'

'Dat was hij ook.'

Ik vertelde haar over de taarten die hij maakte, Schwarzwalder Kirsch, Engelse kersttaarten, en over de chocoladerozen die hij met zijn spitse vingers kon vouwen.

'De zaak was bekend in Sydney.'

'Nou?' vroeg Barbara kortaf. Ze had de spanning in mijn stem gehoord en begreep dat de dramatische wending er aankwam.

'Hij heeft een ongeluk gehad.'

Mijn stem ging op in het gegons om ons heen. Het praatte licht en gemakkelijk. Hoe was het mogelijk om zo terloops te…

Het was gruwelijk geweest. En ik was er niet bij. Ik was er niet bij! Bleef ik het daarom steeds voor me zien? Ze zijn knap tegenwoordig. De vingers zijn er weer aangenaaid. Dat klonk eenvoudig. Huiselijk bijna. Maar ik zag ze bezig met het karwei. Om een of andere reden vond ik het nodig om alles waar ik niet bij was geweest te reconstrueren. Tot in details. Misschien zou ik op die manier ook mijn aandeel in de verschrikking hebben. Alleen de pink was niet gelukt. Die hadden ze in het deeg niet meer terug kunnen vinden. Hoe kwam hij zo verstrooid? Zo gehaast? Hoe lang heeft hij gebruld? Hoe hard? Waar is het bloed overheen gestroomd of gespoten?

'Na een halfjaar kon hij zijn vingers weer wat bewegen. Iedereen vond het een wonder. Maar de bakkerij, dat ging niet meer.'

Vreemd, dat je bij zo'n verhaal niet moet huilen. Zo'n verhaal besluit je met wijd open ogen.

'Wat lijk jij op je vader!'

Ik draaide me om. Het misnoegen moet duidelijk van mijn gezicht te lezen zijn geweest, want mijn oom Bruno haastte zich op te merken: 'Hij was mijn dierbaarste broer.'

De oude heer nam mijn arm en leidde me weg uit de drukte.

'Kom, vertel me over hem.'

Maar voordat ik mijn mond open had kunnen doen begon hij zelf te vertellen. Zijn tien jaar jongere broer. Een leuk joch, maar erg gevoelig. Op school was hij pienter. De beste van allemaal. Toen hij afstudeerde was hij nog jong. Een officier van drieëntwintig jaar. Maar de schitterende carrière die hem toeglansde werd gebroken door de oorlog.

'Ja,' zei mijn oom, 'dat klinkt gek voor een militair. Maar zo was het. Kort na de bevrijding heeft hij mij een lange brief geschreven. Zijn oorlogservaringen en zijn gevangenschap stonden erin beschreven. Mij kondigde hij als eerste aan zijn militaire loopbaan te beëindigen. Ik kan niet meer leven met die leugen, schreef hij.'

Ik voelde me verkillen. Er viel een stilte waarin mijn oom me aankeek. Wat verwachtte hij van mij?

'Maar jij zult wel van die geschiedenis weten,' zei hij ten slotte.

Welke geschiedenis, dacht ik. Niet kunnen leven met een leugen? Ja, daar weet ik alles van.

Ik schudde mijn hoofd.

'Nee? Nou, ik heb die brief nog. Als je wilt zal ik hem naar je opsturen. Je logeert bij Matthieu?'

Ik gaf geen antwoord, maar mijn oom lette niet op mij. Peinzend tuurde hij naar de vloer. Ik had niet het gevoel permissie te hebben om te gaan.

Inderdaad had hij nog iets te zeggen: 'Ze waren een mooi paar, Anna en hij. Een echte grote liefde, geloof ik. Maar zij begon te kwijnen, bitter te kijken. In gezelschap van anderen ontweek ze hem. Begrijpelijk, misschien. Hij was van een elegante officier een mopperige ambtenaar geworden. Commies op het stadhuis. Ik heb weleens gedacht dat de werkelijke reden van zijn vertrek naar Australië de behoefte is geweest om indruk op haar te maken. Hij wilde haar respect.'

Gelukkig kwamen er een paar tantetjes om afscheid van mijn oom te nemen. Discreet kon ik verdwijnen. Wat moest mijn vader hier toch steeds? Ik was niet naar Nederland gekomen om te ontdekken dat achter de ene leugen de andere verborgen zat. Dat was toch altijd zo?

Ik zat in de serre onder de palmen. Verderop zag ik Barbara knikkend staan luisteren naar een boomlange jongen met kaal-geschoren hoofd. Drama of komedie?

Mijn buien waren lange tijd achterwege gebleven. Gek is dat, die concurrentie van verdriet. De pijn van Rick ging voor.

Ik weet niet wat hij doorgemaakt heeft, ik was bezoek. Ter-wijl ik keek naar zijn gesloten gezicht en naar het kostbare witte pakket aan zijn arm, vroeg ik: 'Heb je goed geslapen?' en: 'Hoe is het met de pijn?' Ja ja, goed. De dokter is tevreden.

De regelmaat van de bezoekuren bepaalde mijn dagen. Het was druk. In de bakkerij werkte een invaller. De winkel bleef mijn terrein, de kinderen en het huis ook. Eerlijk gezegd: het was geen onprettige tijd. Ik was verdoofd.

Na zes weken kwam hij thuis, zijn hand verbonden, zijn arm in een mitella. Toen pas zag ik hoe ondoorgrondelijk mensen zijn. Dat hij niet klaagde was niet zo geheimzinnig, maar dat hij niet scheen te lijden, daar kon ik niet bij. Hij deed zijn oefenin-gen. In zijn vingers kwam weer wat leven.

...Het waaide op die doodgewone dag. Samen met Rick droeg ik de boodschappen de keuken in. Het meel, de koffie, de yoghurt, de blikken, de flessen, de groente. Alles werd opge-borgen. Toen lag er in de achterbak nog een bruine zak waaruit een pluim stak.

'Wat is dat?' vroeg ik.

'Dat is een lork.'

Het was een raar boompje. Een gril van de supermarkt, een lork in de aanbieding.

'Die doen het hier toch helemaal niet?'

Maar hij begon naast het tegelpad te spitten. Vanuit de keu-ken zag ik hem bezig. Tussen zijn knieën drukte hij de aarde aan. Zijn haar woei dezelfde kant op als de armetierige takjes.

'Zo smal als jouw polsen,' zei hij later.

Er was iets aan de hand. Met zijn haar, en die takjes, en zijn gezicht. Iets nam hem in beslag, iets wat definitief en onver-klaarbaar bij hem hoorde, bij hem alleen, het kon door niemand gedeeld worden. Door het raam staarde ik naar zijn gezicht. Het was alsof ik het voor het eerst zag. De bezorgde, bijna onmerkbaar bittere trek om zijn mond. Het eigenlijke thema van zijn leven, dacht ik, daar sta ik buiten. We hebben maar weinig met elkaar te maken. Toen was alles weer gewoon. Mijn man die in de tuin werkte. Het water in de ketel dat begon te suizen. Maar ik dacht: ik heb vanaf die eerste oogopslag van hem gehouden, hoe komt het dat ik dat nu pas weet?

Hij stond op en begon de tuinslang uit te rollen.

'O, hou me vast!' fluisterde ik 's nachts in het donker, in de warmte. Buiten was de wind gaan liggen.

…De problemen met Jessie begonnen. Ze zag bleek. Al haar vrolijkheid, al haar zorgeloosheid waren verdwenen. Die man had haar in zijn macht, daar konden wij niets aan verhelpen. Rick had een gesprek van man tot man met de minnaar van zijn dochter. Hierna klaarde de lucht op. Jessie bleef ons kind.

En ik bleef Sophie. Met die droefheid die onverklaarbaar was.

'Je moet gaan,' zei Rick.

Hij was in de schuur bezig de brommer van Jamie bij te lakken. Zonder zijn karweitje te onderbreken, zei hij: 'Je was te oud om zomaar verplaatst te worden en te jong om te begrijpen wat er met je gebeurde. Je hebt niet op de juiste manier afscheid genomen.'

Toen ik bij hem neerhurkte had mijn ziel al met hem ingestemd. (Ik ga terug… terug!)

'Maar het geld?' fluisterde ik.

Vanachter de kettingkast legde hij zijn hand op mijn lippen.

Ik was naar Nederland gekomen omdat mijn man me gestuurd had.

6

…Zeg Lisa waarom huil je zo,
  Huil je zo, huil je zo…

Mensen huilen omdat ze sterven moeten. Dat zal de reden zijn. Dieren huilen niet. Dieren zijn onsterfelijk, of in ieder geval bijna. Voor hen verschijnt de dood niet in de toekomst, maar in een meer of minder overrompelend 'nu'.

Ze waren aardig, deze mensen. Ze hadden het helemaal niet gek gevonden dat ik even wilde kijken. 'Zestien jaar hier gewoond, wijfie? Nou, kom binnen en loop maar waar je wil!'

Wat was het allemaal klein, en vooral: wat onbekend. Maar toen ik boven kwam bleek mijn kamertje nauwelijks anders ingericht dan toen ik er sliep. Dat kon ook moeilijk. Een bed, een stoel, de wastafel. Het behang was nog hetzelfde. Ineens kwam toen dat kinderliedje in mijn hoofd op. Ineens moest ik denken aan de rustige blik van mijn konijn.

Ik liep naar het raam.

Het was omstreeks het middaguur en tamelijk druk op straat. De slenterende mensen zagen er welgedaan uit. Een kind struikelde, een oude man lichtte zijn hoed en twee vrienden begroetten elkaar voor de boekhandel die geen boekhandel meer was, maar videotheek. Er was niet veel veranderd. Alleen was er op het pleintje een automatiek verschenen. Het troepje pikkende vogels stond schouder aan schouder tot op het zonnige trottoir.

In gedachten gleden mijn vingers over het hout van het kozijn. Ik voelde een flauw reliëf en keek. Ondanks dat het overgeschilderd was, kon ik het nog heel goed zien. Het hartje. De pijl. De initialen. Het wachten op nachtelijk bezoek...

Er trok een huivering over mijn ruggegraat. Opnieuw keek ik naar buiten, de duisternis in. Op de hoek fonkelden regendruppels in de gele baan van een straatlamp.

Ik werd overvallen door een waanzinnige, monstrueuze nieuwsgierigheid.

Er waren een paar dingen die me bevielen. In de eerste plaats: hij taxeerde me niet. Terwijl ik dat toch had kunnen verwachten. Je gaat weg als zestienjarige. Na meer dan twintig jaar kom je terug. Wat is er met je gebeurd. Gekeken kan worden naar de lijnen rond je mond, naar het soort kleding dat je draagt om je heupen, je buik, je borsten te maskeren of te tonen. En verder is het van belang of je mooie lange haar soms veranderd is in een kapsel. Wat ben je nog waard?

Maar nee. Helemaal niet. Niks geen gestaar. Ook geen tersluikse blikken. Hij ging thee zetten en liet me rustig zitten in de zonnige vensterbank waar ik kon uitkijken over de Amstel, en waar ik me algauw slaperig begon te voelen.

Geen sprake van dat er voor ons soort ontmoeting ook maar de summierste gedragscode bestond. Het was al idioot dat ik hem zomaar gebeld had en het was te gek voor woorden dat hij daar zo laconiek op had gereageerd. Alsof we elkaar vorige week nog hadden gezien op de tennisclub. 'Goed. Leuk. Morgen zie ik je.'

Nadat de deur was opengezwaaid en ik een heel eind op had moeten kijken – hij was lang, meestal overdrijft je herinnering, maar deze keer deed de werkelijkheid er een flink schepje bovenop – begon hij te lachen. Niet verlegen of zo, maar heel rustig, zoals mensen doen die altijd wel gedacht hadden dat... 'Sophie!' Hij pakte mijn handen en loodste me naar binnen.

Maar ik was niet zo discreet. Ik bekeek hem met aandacht terwijl we elkaar zo nu en dan kort ondervroegen.

'Hoe lang blijf je in Nederland?'

'Nog een week.'

'Waar logeer je?'

'Bij een oude oom van me, op de Prinsengracht.'

Zijn manier van lopen was waarschijnlijk typerend voor zijn hele persoon. Rustig. Te rustig. Hij liep met de stap van iemand die geleerd heeft zijn ongeduld te bedwingen.

We gingen aan tafel zitten. We dronken thee uit dunne glazen. Die thee beviel me trouwens ook. Het was tegen vijven. Dranktijd. Maar hij scheen een alcoholische verdoving niet noodzakelijk te achten.

Ik keek naar zijn gezicht, zijn handen, zijn jasje, het witte overhemd dat openstond aan de hals, en wat was het nou dat me zo fascineerde? Zat ik hier tegenover het symbool van mijn bittere afscheid van jaren terug? Was dit de weigerachtige slungel die mijn vertrek had afgestempeld?

Nee, het was heel onwaarschijnlijk dat hij dezelfde was. Net als in het mijne waren er in zijn leven vast ook wel een of twee gebeurtenissen geweest die hem voorgoed veranderd hadden.

Hij schetste mij enige omtrekken. Uiteindelijk was hij toch maar geen huisarts geworden. Niet geduldig genoeg voor het veldwerk van hoofd-, rug- en buikpijnen. Zijn gebied bleek het menselijk hart met zijn geheimzinnige ritmestoornissen te zijn. Cardioloog, ja. Hij was veel weg, congressen, lezingen, en had onregelmatige werktijden. Zijn huwelijk was er niet tegen bestand geweest. Maar zijn dochtertje zag hij geregeld. Ze speelde trompet.

De inlichtingen waren van geen enkel belang. We wisten het beiden. Tussen ons werden andere mededelingen gedaan.

Ik keuvelde over mijn leven in Sydney, uitgebreid, openhartig en met de grootste onverschilligheid. Ondertussen dwaalde mijn blik rond. Geen zithoek, geen open haard, geen planten. Wel een bureau bij het raam, een boeket driedubbele chrysanten en een kast met boeken en een rij dossiermappen. De tafel waaraan wij zaten was afgeladen met paperassen en post. Er was beslist niet opgeruimd.

Die slaperigheid was eigenaardig. Ik slikte de ene geeuw na de andere weg en moet hem zo nu en dan met betraande ogen hebben aangekeken.

'Je wilt het eerst uitpraten, hè?' zei hij na een stilte.

Ik veerde op. Ineens voelde ik me ongerust. Mijn god, wat was ik begonnen? Konden we het niet gewoon zo laten? Kon die nacht niet opgedeeld blijven? Zijn nacht. En de mijne. Een nacht zonder gevolgen, zonder sporen. Zoals mijn leven in dit land.

'Ach welnee, vertel me liever nog iets over jezelf.'

Natuurlijk sloeg hij geen acht op deze domme, verboden formule. Ik had net zo goed kunnen zeggen: hoe maakt u het? Hij was al van wal gestoken.

Het was verbijsterend simpel. Het was zo banaal dat ik het zelf nooit had kunnen verzinnen. Ziek. Buikpijn. De hele avond al. Omstreeks twaalf uur was hij toch van huis gegaan. Pijn was hem als verschijnsel vrijwel onbekend. Ineenkrimpend naderde hij onze straat. De beslissing voor zijn vlucht werd buiten hem om genomen: een gruwelijke pijnscheut verjoeg hem. Zijn moeder belde de dokter. Blindedarmontsteking. Hij werd diezelfde nacht nog geopereerd.

Ik begon te gieren van het lachen. De situatie was zo absurd. Als je eenmaal begint met vreemd gedrag, ook al is dat tientallen jaren geleden, dan kan je niet meer terug.

Martien liet me begaan. Hij hield zijn ogen op mij gericht en lachte zachtjes, toegeeflijk mee.

Toen stond hij op.

'Kom, we gaan eten,' zei hij.

Mijn gezicht kwam tot rust. Ik voelde me geweldig opgelucht. De onzinnige kwestie was van de baan.

Op straat nam hij mijn arm. Boven de huizen hing een gloeiend donkerroze schijnsel. Een lauwe westenwind blies ons in het gezicht. Ik liep heel licht en gemakkelijk. Deze man had een vreemde uitwerking op mij. Ik voelde me zoals ik me als kind had gevoeld: beschikkend over een oneindige tijd, waarin alles wat gebeurde spel was. Ernstig, onverantwoordelijk spel. Ik gaf mij over aan mijn prachtige leven, aan al die kansen, aan het winnen of verliezen, en de uitkomst zou gelden.

Ik weet niet of Martien hetzelfde voelde, maar wij wandelden door de stad zonder ook maar ergens op te letten. Op de trottoirs ging men deemoedig voor ons opzij. Wanneer wij overstaken remde men af.

In het restaurant begonnen we met haring en jonge jenever. Daarna werd ons een gestoofde eend en een fles bourgogne opgediend. We zaten achterin en praatten zacht en vertrouwelijk met elkaar. Vanaf de eerste slok had ik me licht beschonken gevoeld en ik verbaasde me er niet over toen Martien mij zijn plan ontvouwde om de zomer samen door te brengen.

'...daar ligt een huis, direct aan het meer. Zo'n Victoriaans bakstenen huis, je weet wel.'

Ik knikte.

'We blijven de hele maand. Ierland is nog een echt land. In sommige streken is het zoals Nederland vijftig of honderd jaar geleden moet zijn geweest.'

'Ierland,' zei ik. 'Goed.'

Ik pakte mijn glas en keek hem instemmend aan. Het werd inderdaad hoog tijd dat ik eens naar Ierland ging. Waarom was ik daar nog nooit geweest?

'Maar niet om te surfen,' zei ik. 'Ik ben helemaal niet sportief.'

'Ach jawel!' zei hij en ik bespeurde zijn ongeduld. 'Ik leer het je. En bedenk maar, zo'n aansluitend knalblauw of -rood pak zal je schitterend staan.'

We waren allang begonnen elkaar met ongegeneerde blikken te bekijken. Van enige discretie was geen sprake meer. Waar we het ook over hadden, het betrof niets anders dan de dringende afspraak die er tussen onze lichamen bestond. Ik voelde de aanraking van zijn lichtzinnige ogen aan de binnenkant van mijn armen, mijn benen, op de blote huid onder mijn kleren. Onder tafel zette ik mijn voeten uit elkaar.

Hij legde zijn mes en vork neer.

'Nu moet je toch niet te lang meer wachten met je oom te bellen. Die oude mensen gaan vaak heel vroeg naar bed.'

Toen ik terugkwam pakte hij mijn handen.

Het uur en de plek waren op een bepaalde manier samengesteld. Er was een cruciaal punt in de stad: een plein, en er waren de straten, de huizen, de grachten, die er als een beschermende arm omheengevouwen lagen, dan waren er de verkeersaders die ook allemaal naar of langs het ene punt voerden, de menigten met hun ronkende voertuigen, hun gezichten, hun geschiedenissen, en niet te vergeten: er was de wind die naar het noorden gedraaid was en met de stank van eethuizen en urinoirs een vleug brakke IJ-lucht meevoerde (voor altijd de geur van liefde);

…terwijl ik op mijn tenen stond, mijn hoofd ver achterover, en me uitleverde aan de aanrakingen waar ik de hele avond naar verlangd had, flitste het door mij heen dat we niets anders deden dan ons conformeren. We behoorden tot een samenhangend geheel, ineengevloeid met het lawaai en de lichtreclames. Ik overzag ons gemeenschappelijk leven in deze stad zo duidelijk alsof het met een kruisje op de plattegrond was aangegeven.

'We lijken verdomme wel een paar tieners,' mompelde Martien. Zijn hand op mijn heup werd zwaarder. Ik lachte en keek even om mij heen. Vrijend stelletje op de Dam. Doodgewoon. Maar ik wist precies wat de melancholie in zijn ogen betekende.

'Oké, laten we gaan', zei ik.

Ik deelde zijn ongeduld niet. Integendeel. Beschikten wij soms niet over zeven dagen? Tijd in overvloed. Maar ik begon mijn nek te voelen. Hij moest beslist nog gegroeid zijn na zijn achttiende.

Voor hotel Krasnapolsky stonden de taxi's op ons te wachten. We installeerden ons. De meter begon te lopen. We waren nu geen tieners meer, maar een schaamteloos, door de wol geverfd paar.

Wat mij betreft had deze rit eindeloos mogen duren. Waarom zouden we de nacht niet in deze verende schemering doorbrengen? Om de chauffeur hoefden we ons niet te bekommeren, die was via de mobilofoon verbonden met een andere wereld. Gecodeerde boodschappen, voor ons onbegrijpelijk als het gebalk van een ezel, begeleidden ons door rood verlichte buurten. Hoe vaak kun je zeggen: ik ben gelukkig?

'Je kust nog als de dag van gisteren.'

De manier waarop hij het zei. Teder. Dichterlijk zelfs. Maar onwaar. Niets was identiek. De tijd was weelderig doorgestroomd en had onze bloedlichaampjes, klieren en organen van de nodige herinneringen voorzien. Samengebald in ons gekus van vandaag. Ik had nog nooit zo'n verlangen gekend.

We stapten uit. Geld werd overhandigd. 'Goede nacht,' klonk het. Ik keek naar de uitdrukking op zijn gezicht toen hij de deur met zijn sleutel opende. Waarom is dat moment zo precair: iemand die zijn huis voor je ontsluit, je voorgaat op de trap? Het is de vraag in hoeverre het huis bewoonbaar is. Zullen we nog wat drinken? Nee, nu niet. Zijn slaapkamer was aangenaam verlicht. Een bed met een zachte blauwe sprei. Zonder enige verwarring, maar wel met iets smekends, liepen we op elkaar toe.

Mijn kokerrok gleed op de grond.

'Denk eraan, om vijf uur ben ik terug. Vijf uur.'

Gehurkt bij mijn hoofd keek hij me ongerust aan. Zouden zijn woorden tot de slaapdronken vrouw doordringen? Zou ze begrijpen dat dit een ernstige nacht was geweest?

Ik had hem door de kamer zien lopen, een wit overhemd in een grijze broek duwend. Ik had hem over zijn kaken zien wrijven, op de zakken van zijn colbert zien kloppen, ik had de koffie geroken die hij bij me had neergezet. Ook had ik zijn frisse gladgeschoren gezicht gevoeld toen hij besefte dat om acht uur de polikliniek begon. 'Tot straks,' had ik hem gesmoord in mijn haar horen zeggen. Ik had hem de huissleutel naast mijn kussen zien leggen.

Aan het eind van de ochtend liep ik de trap van het hoofdpost-kantoor op. Ik vroeg een telefoongesprek aan en draaide een lang nummer. Er kwam een verbinding tot stand.

'Rick? Met mij! Met Sophie!'

De gelukkige kreten klonken verbazingwekkend dichtbij. 'Vertel, vertel,' zei ik haastig. 'Hoe is het met jullie drieën?'

O, het ging goed. Prima. Ze verlangden naar me, natuurlijk, maar ik hoefde me nergens...

Ik luisterde nauwelijks naar de tekst, zo blij was ik zijn stem te horen. Zo geruststellend. Zo geruststellend als een glaasje water. Hij trok zich niets aan van de oceanen die tussen ons lagen en vertelde op zijn gemak al het kleine nieuws. Duidelijk hoorde ik hem zo nu en dan aan zijn sigaartje trekken. Het was echt waar: mijn leven daarginds ging zijn gewone gang. Alleen ik was er niet bij. Dat was alles. Ik hoefde me nergens zorgen over te maken.

Daarna wilde Rick weten of ik 'een goede tijd had'. Een goede tijd... Ik vestigde mijn blik op de cel tegenover me (massief-hoofdig, streng gebarend type) en begon over mijn rondgang langs de familie. Zowel wat hem als mijzelf betreft had ik het net zo goed over Roodkapje en de wolf kunnen hebben. Een goede tijd, dacht ik. O, mijn liefste, o mijn man. Er is iets met de tijd. Verleden en toekomst zijn bezig van plaats te wisselen. Verder doe ik wat je zei dat ik moest doen: afscheid nemen op de goede manier. Alleen, ik weet niet meer van wat of wie.

'Je bent zo ver,' zei ik ten slotte. 'Ik verlang naar je.'

Hij zei hetzelfde. We hingen op.

Heraademend daalde ik weer af in de zonnige stad. Overal stonden de lichten op groen, ik voelde me vrijwel onkwetsbaar. Haast had ik wel. Ik wrong me door de mosseleters op de Nieuwezijds, stak tussen twee bellende trams het Spui over en bereikte hijgend de Prinsengracht. Daar pakte ik mijn spullen in en nam op de allerhartelijkste manier afscheid van mijn oom.

Ik liep door zijn kamers en bekeek zijn leven. De zon scheen nog niet naar binnen. De meubels zagen er dof en huiselijk uit. Op tafel lag wat post, rekeningen, een vaktijdschrift, een glan-zende prospectus met machientjes om het menselijk hart klop-pend te houden. In de keuken was het ordelijk en schoon. Hij bezat verschillende koffieperculatoren, mooie donkergroene koffiekoppen en een Chinees theepotje. Aan een haak in de badkamer hing een donkerblauwe kamerjas.

Ik bekeek de muren. Er waren nogal wat foto's van een donkerharig meisje. Soms was ze een jaar of negen, soms een baby. Meestal keek ze ernstig. Achter zijn bureau had hij twee grote prenten opgeprikt. Een plattegrond van Amsterdam in de achttiende eeuw, met rood ingekleurde grachtengordels, en een schema van de menselijke bloedsomloop met al zijn vertakkingen van en naar het hart.

Een huis in iemands afwezigheid, het heeft de argeloze waardigheid van een slapende.

Vannacht. Hij had me geen antwoord kunnen geven. Door de huid heen had hij het bonzen van mijn hart geconstateerd.

'Wat is verliefdheid?' had ik gevraagd.

Want er was iets tot mij doorgedrongen. Nu ik hem zo in mij had toegelaten, nu ik zo schaamteloos, zo veeleisend zijn buik tegen de mijne had gedwongen, al die minuten, nu ik me uitgespreid had, plat gemaakt, zo plat als de polders in dit land en valt er iets te bedenken dat vochtiger, dampiger, gedienstiger is dan die groene vlakten, nu ik hem had toegestaan mij zo dicht te naderen dat geen enkel wapen meer geschikt was en ik hem daarom had aangekeken met de lege ogen van een zwakzinnige, begreep ik dat ik verwikkeld moest zijn in iets ongekends. Iets wat mij, Sophie, tot nu toe was ontgaan.

'Verliefdheid is niet te verklaren,' had hij gezegd.

'Jawel,' drong ik aan. 'Jij moet het weten.'

Maar het was laat. De hartspecialist was moe.

'Blijf,' was het enige dat hij mompelend uitbracht. Hij viel in slaap.

Ik bleef toekijken.

Nu, terwijl ik staarde naar die twee prenten aan de muur, twee labyrinten – de stad en het menselijk lichaam –, begon ik iets te bespeuren van dat andere netwerk.

...zijn slapende gezicht. Wat heb je doorstaan? Uit welke gebeurtenissen ben je samengesteld? Deze stad, deze wolkenluchten, deze landschappen, je patiënten, het geruzie met je vrouw, de tederheid voor je kind, je ongeduld, je kiespijn, al de dingen waar jij ooit je handen of je ogen op hebt gelegd...

Ik was verliefd op hem omdat ik dit alles om god weet welke reden nu dringend nodig had.

Beneden viel de deur in het slot. Er klonken voetstappen op de trap. Maar het was nog geen vijf uur, ik had een taart willen kopen! Hij stond op de drempel met zijn armen vol boodschappen en bloemen. Zijn gezicht drukte ongeloof en opluchting uit. In het besef dat mijn eenzaamheid geen seconde langer was te harden rende ik de kamer door.

Hoe vaak zei hij het, die dagen?

'Blijf.'

Hij trok niet op toen het licht op groen sprong, maar bleef mij van opzij aankijken. Ik kroop in zijn armen en voelde me subliem. Helemaal in orde was ook het getoeter dat ogenblikkelijk achter ons opklonk. Geen enkele wanklank.

'Blijf hier.'

Achter hem aan liep ik de trap op. Het had een beetje geregend. Hij droeg een grijze jas.

'Blijf bij mij.'

Er was niemand anders in de winkel. Ik stond voor de spiegel en paste een donkergele hoed met brede rand. Martien keek mij in mijn beschaduwde ogen terwijl hij het vroeg. De verkoopster kwam er aan en begon zich uit te putten in complimenten. Het kon niet anders, het moest en zou deze sombrero worden.

's Avonds in bed keken we naar *Miami Vice*. Ik leunde tegen het extra kussen dat die dag voor mij was aangeschaft. Ondanks de liefde bleef ik mijn oude kwaal, lichte nachtelijke rugpijn, voelen. Er werd veel geschoten en geschreeuwd. Een zware man zat achterstevoren op een stoel te janken.

'Blijf hier wonen.'

Hij keek helemaal niet op. Zijn hoofd bleef waar het was, in de holte van mijn schouder. Braaf en lief. Even moest ik denken aan Jamie. Die had lang baby weten te blijven.

'Goed,' zei ik, en nam de lichtste beslissing van mijn leven. 'Goed. Ik blijf.'

In alle vroegte liepen wij over het perron. Ik was op weg naar Sassenheim om van daaruit de nodige regelingen te treffen. Het merendeel van mijn bagage en mijn papieren bevond zich nog bij Matthieu en Elisabeth.

Martien bracht mij weg voor hij naar het ziekenhuis ging. Het was het uur van opwinding en stille wanhoop. De horden gingen naar hun werk. Maar wij hadden geen deel aan de drukte. Wij waren nog in de ban van het besluit dat de avond tevoren gevallen was. Om onze concentratie niet te verstoren zeiden we weinig. We liepen zoals musici doen vlak voor ze moeten opkomen, die weten dat alles goed en misschien zelfs uitstekend zal verlopen, dat het concert eigenlijk al heeft plaatsgevonden, maar alleen nog ononderbroken behoed moet worden.

'Dus overmorgen kom je terug?' vroeg hij.

Ik knikte: 'Overmorgen op zijn laatst.'

'Bel me dan hoe laat je aankomt.'

De trein gleed binnen. De mensen die eruit kwamen moesten zich een weg banen door de menigte die stond te wachten. Iemand liet een tas vallen, er klonk gevloek, er werd gehold. Wij stonden wat achteraf, buiten al dat gedrang.

Wat aangenaam, wat licht, zo'n afscheid voor een paar dagen! We sloegen elkaar gade, in diep vertrouwen, uiterst gerust op wat we beleefd hadden. Ik vond dat hij bleek zag. Hij trok een beetje met zijn linkermondhoek. Waarom wist ik niet, maar het stemde mij dankbaar dat mijn zwarte pumps nog onder zijn bed stonden.

Nu was het tijd. We leunden tegen elkaar aan, toch flauwtjes huiverend, flauwtjes tegenstribbelend. 'Tot straks,' zei hij zachtjes en reikte me mijn tas aan.

Wie is er nou zo gek om een stoptrein vol forensen na te zwaaien?

Ik was niet bedroefd toen de trein onder de overkapping vandaan kwam. Ook niet toen hij langs de rijen huizen, de balkonnetjes, de binnenplaatsjes rolde. Maar later, toen aan weerskanten de mistige velden voorbijschoten, begon ik een vreemde pijn onder in mijn buik te voelen.

Voorbij Haarlem werd het er niet beter op. Trekkende, sidderende krampen vlogen door mij heen. Ah! Ik was gek geweest om te vertrekken! Er bestond toch telefoon in deze gezegende moderne tijd? Goeie god, hoe had ik zo stom kunnen zijn om deze twee dagen te verspillen! Ineens moest ik denken aan Janice, de merrie van onze buren in Sydney. Een paar maanden geleden was ze hengstig geweest. Ik herinnerde met haar wanhopige ogen, haar trillende flanken; en ik herinnerde me andere krolse, loopse, of tochtige dieren. Zonder uitzondering waren ze er slecht aan toe geweest. Wij zijn op zoek naar onze verloren helft. Dat heeft niets met vreugde te maken. Dat heeft met pijn te maken.

Had ik gezucht? Gesteund? De man tegenover me had zijn krant laten zakken en keek me oplettend aan. Nee, meneer. Ik ben niet ten prooi aan een onbeschrijflijk acuut verlangen. Ik ben een huisvrouw die haar hoofd afwendt om naar de koeien en de paarden in een Hollandse wei te kijken.

7

Op mijn kamer gekomen zag ik de grote envelop op tafel liggen. Aan mevrouw Sophie O'Neill. Dat was ik. In mijn handen had ik de brief van mijn vader. Mij, volgens afspraak, door mijn oom Bruno nagestuurd. Ik zonk neer op mijn bed en begon te lezen.

En natuurlijk, voor die generatie is het de oorlog. Altijd. Ik had ervan gehoord. Theoretisch was ik op de hoogte. Maar om een of andere reden was dit pijnlijk exacte, emotieloze document iets anders. Het was van mijn vader. Het was ontzettender.

Hij was erbij geweest, bij de verwarde slag om Rotterdam. Ze waren naar de brug gekomen, en men had hun toegestaan om, met de trouwhartige heroïek van kinderen, nog een heel tijdje stand te houden en enorme verliezen te lijden. Derk Frans van Dijk had jammerend rondgelopen met een emmer over zijn hoofd.

De tweede episode speelde zich af in Sachsenhausen. Hij was in maart 1944 gevangengenomen en vanuit Vught op transport gesteld. Hij beschreef het slavenwerk in het kamp, de hongerige, vernederde mannen, de bombardementen van de geallieerden en hij beschreef, ten slotte, de mars die de overlevenden van het kamp moesten inzetten toen de Russen vanaf de Oder oprukten. Omstreeks 25 april 1945 sjokte hij met zijn groep over de weg naar Wittenberge. Van de oorspronkelijke duizend man was toen nog ongeveer de helft over. Achterblijvers werden gedood met wat genoemd werd een genadeschot. De berm was met hen bezaaid en niemand lette er in het bijzonder op. Toen zag hij de twee Hongaren liggen. Vader en zoon. Hij kende ze zijdelings. Ze hadden in de barak bij hem aan tafel gezeten. De zoon had voor de vader gezorgd. Had zijn werk gedaan, zijn eten gehaald, hem naar het appel toe gesleept. Maar vandaag had hij hem niet langer voort kunnen zeulen en beiden waren aan het eind van een colonne afgeslacht. Door een lid van een militair erecorps.

Op dat ogenblik besloot hij dat het beroep van oorlogvoerder verachtelijk was. Het deed niet ter zake dat zij de kwaden waren, en hij tot de goeden behoorde. Dat was niets dan een te verwaarlozen historisch gegeven.

Ik legde de vellen papier weg, deed de gordijnen dicht en kroop in bed.

'Sophie, wat is er? Ben je ziek?'

Ik keek in het gezicht van Elisabeth. Te oordelen naar het veranderde licht in de kamer moest het uren later zijn. Toch had ik niet de indruk geslapen te hebben. Ik kwam op mijn elleboog overeind. Aarzelend pakte ik de thee aan die Elisabeth me aanreikte. Ik bevond me in een leegte waar ik niet uit wilde raken.

'Nee,' zei ik, 'alleen maar moe.'

'Het hindert niet. Blijf maar de hele dag in bed, als je wilt.'

Ja, dat wilde ik.

Midden in de nacht werd ik wakker. Stilte. Zwartheid. Mijn vader en zijn koppigheid, zijn leugens, mijn vader en zijn waterige ogen. Die man kende ik. Tegen hem had ik al lang geleden mijn maatregelen genomen.

Maar wat voorbij is, is niet definitief voorbij. Eerst zat ik met zijn leugens opgescheept, nu met zijn leven. Want over een afstand van jaren had hij me geschreven, had hij een gedeelte van zijn geschiedenis bij mij ondergebracht. Nu had ik belevenissen doorgemaakt die vermengd met mijn sympathie, mijn medelijden, mijn berouw nooit meer van mij zouden wijken.

Ik stond op en liep naar het raam. Met het gordijn achter mijn rug bekeek ik als een souffleur of als een rekwisiteur het duistere toneel daarbuiten. Bij het licht dat door de brekende wolken viel zag ik een vaalbruin dier uit de bollenschuur komen. Het duurde even voordat ik de uitheemse, overdadig behaarde kat van de buren herkende. Hij ging zitten en hief zijn afgeplatte kop op. Alsof hij het had opgeroepen begon plotseling de katoenpopulier aan de rand van het erf te ritselen en te buigen. Er dwarrelde een handvol confetti door de lucht. Ik voelde me zeer rustig, zeer helder.

Wat voorbij is, is niet definitief voorbij. Een afspraak van jaren geleden was ten slotte nagekomen. Wat had de brief van mijn vader met Martien en mij te maken? Ik wist het niet. Er zijn dingen die je constateert zonder ze te doorgronden. Beelden maakten plaats voor andere beelden. Martien die de kamer binnenkomt, die met opgetrokken schouders zijn colbertje aantrekt, die een sigaret opsteekt en mij met toegeknepen ogen blijft aankijken; Martien die de telefoon aanneemt en zonder smoesjes, zonder grimas van tegenzin toezegt ogenblikkelijk te komen...

Twee gebeurtenissen die wortelden in een ver verleden hadden elkaar in een toevallig 'nu' ontmoet. Ze leverden mij een uitkomst op die in haar onbegrijpelijkheid toch volstrekt duidelijk was: het hoopvolle, tedere afscheid aan het station had gegolden.

Het vliegtuig kwam los van de grond. De schommelende velden werden stabieler. Voor mijn ogen verscheen een keurig patroon van blokken groen en bruin, en van afgepaste groepjes huizen. Eerst waren er nog mensen. Fietsers op de dijk. Een vrouw die in haar achtertuintje de was ophing. Maar algauw was ik te hoog. Algauw was de wirwar van mensen en gebeurtenissen teruggebracht tot een overzichtelijke plattegrond met een gebogen kustlijn en witte golfjes waar de zee begon.